POR FIC ANDRADE
Andrade, Carlos Drummond de

Contos plausíveis

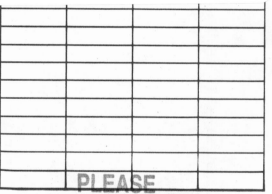

CONTOS PLAUSÍVEIS

CARLOS DRUMMOND DE ANDRADE

1 Capa da primeira edição
(1981), de distribuição restrita
e não comercial.

2 Drummond em 1969,
ano em que passou a escrever para
o *Jornal do Brasil* os textos que
iriam constituir *Contos plausíveis*.

2

CARLOS DRUMMOND DE ANDRADE
LEILÃO DO AR

Nos últimos tempos, vêm acontecendo leilões de navios e leilões de ilhas, não sei se de montanhas. O leiloeiro, diante de um público restrito, mas de alto poder econômico (não há por aí muita gente em condições de arrematar uma ilha ou um navio inteiro) faz exatamente como se se tratasse de um aparelho de chá ou de um lote de miudezas. Só que é estranho ver uma ilha leiloada, com suas águas, plantas, bichos, minerais, caminhos, casas e outras benfeitorias. Quem dá mais? Doulhe uma, dou-lhe duas... De repente, ao entardecer, a ilha aparece no salão escuro, cercada de divisas; emerge da papelada do espólio, ocupa a rua, caminha-mos por ela através dos lances do leilão, de gritos martelados.

Com o navio sucede a mesma coisa. É um velho barco desmoralizado, mas como viajou 5e tardar um pouco o pregão, êle se reduzirá a sucata. Vai afundando... mas tudo que foi sueto ou alegria de navegação vem à tona, e a sala se enche de giria da marujada, cabeludas histórias de bordo, ventos, tempestades, tatuagens, o diabo sôlto no mar. Mesmo em

ruínas, que nobre é o navio, inclusive os cargueiros!

Agora o leilão é outro, banal na aparência: pequenos objetos, bôlsas de viagem, cristais, saboneteiras, latas, xícaras, taças de serveta, poltronas. Muitas poltronas. Muitas poltronas, em que os presentes podem sentar-se, testando-lhes a comodidade. No entanto, êste é também um leilão raro, o primeiro no gênero, de que tenho notícia no país: o de uma emprêsa de aviação. Na loja da Avenida Graça Aranha, expõem-se os tristes traços da Panair do Brasil. Coisas que escaparam de acidentes aéreos, para vir sofrer o desastre em terra, com o esfacelamento da companhia, que serviu a tanta gente por tantos anos.

Eu não ia arrematar nada, mas incorporei-me à multidão de licitantes. Pareceu-me ver um grande avião caído, com os destroços vendidos pelos curiosos. Uns calculavam com frieza o valor dos lotes. Outros olhavam, desinteressados. Algum raro pegava de uma peça, apalpava-a, mirava-a longamente. Tôdas as poltronas estavam ocupadas. Pelo que dizia um car-

taz, elas se adaptavam perfeitamente a um Volks, e serviam para compor um living; estão em moda as poltronas geminadas. Eram tôdas de veludo, e só elas davam a ilusão de viagem. Mas a viagem era imóvel, paralítica. Não havia aeromoça para trazer o lanche e gratificar os passageiros com aquêle sorriso circular que infunde coragem aos apavorados. Nenhum sinal de tripulação. Não se apertavam cintos, ninguém sentia nada. As coisas, amontoadas, etiquetadas, vencidas, falavam do ar, mas num petrôlito mais-que-perfeito, e ninguém as ouvia. Objetos acostumados a voar estendiam-se pelo chão, dou-lhe uma; aguardavam um destino de hotel barato ou de casa pequeno-burguesa, dou-lhe duas. De tapêtes vermelhos, as poltronas passavam a uma domesticidade sedentária e pobre: dou-lhe três.

Assim acabava aquilo que foi uma grande emprêsa nacional, cujo nome sonoro retinia por tôda parte. Os aviões já tinham passado a outros donos; as instalações serviam a outros fins; chegara a vez das poltronas e dos açucareiros, das latas

de comida, copos e cobertores, da bugiga que antes, integrada na máquina dora, participava de suas propriedades mágicas, pois o avião continua a ser ce, à medida que a viagem airos se cada vez mais roficeira. E ninguém sentia nada de especial diante do derrotado da Panair, de seus intestino nhas, contdo seus jantares feitos em nais brasileiros em Paris, mas a hora de liquidação, e não de saudade. E ilha ficava mais lúgubre, gente no em meio à indiferença geral, que é registrada de leilões. Dou-lhe três.

Em dado momento, senti que das miniaturas de avião, que sem igualmente apregoadas, manifestava de inquietação. Positivamente, queria dir-se, fugindo à sorte comum. Nun fôrço de que não revelaria a fórmula cahi-me todo para caber dentro do relho, e em síntese, como fazem os a decaídos de sua glória, êle rompeu as redes do edifício, e alçou vôo sôbre o de Janeiro, levando-me consigo para da os aviões se tornam estrêlas ina veis, sem remorso dos homens.

O Serviço

NOVO ESTILO: A boutique Flashinha, que só vendia roupas para crianças, assim que liquidar o seu último estoque, vai se dedicar exclusivamente à moda menina-môça, com tamanhos a partir de 10 anos e até o manequim 40.

PORTUGUESAS: As sardinhas frescas, à venda na Casa Jato (Rua 1.ª de Março), a NCr$ 6,50 o quilo.

SÓ PARA ANIMAIS: O Centro Assistencial Médico-Veterinário, que o Instituto Nacional de Proteção Animal vai inaugurar amanhã, às 17 horas, em Copacabana, na Rua Santa Clara, 227-A. O Centro dará assistência veterinária gratuita a todos os bichos cujos donos se tornarem associados.

EM SÃO PAULO: Para quem vai à Bienal e não quer andar muito, uma sugestão é a visita à exposição de gravadores poloneses no Museu de Arte Contemporânea, no próprio Parque do Ibirapuera. A grande atração para o domingo é a Feira Popular da Praça da República, onde os pintores expõem seus trabalhos e vendem, a preços acessíveis, peças que vão desde de mandas antigas até esculturas.

ESPORTIVOS E PRATICOS:. Os vestidos que a Di Roma está lançando. Em gabardina de algodão, em marté e em brim tipo suarte, têm

corte moderno e uma grande vantagem: o preço, pois não custam mais de NCr$ 50,00. A boutique Di Roma fica na Rua Montenegro.

LEITURA: Da Coleção Erótica, de José Álvaro Editôra, acaba de sair História de O, de Pauline Reage, em tradução de Hermilo Borba Filho.

EM NITERÓI: Amanhã e sábado, a cervejaria Festival 2001 já tem programado um show movimentadíssimo, com a participação de Claudete Soares, Pedrinho Mattar Trio, Carminha Mascarenhas e Gasolina.

TEORIA DE COMUNICAÇÃO: É o curso organizado pelo Instituto Latino-Americano de Relações e por Cadernos Brasileiros com início marcado para o dia 3 de outubro e devendo terminar a 12 de novembro — e que irá abordar temas de interêsse atual, como Crítica da Teoria da Informação, Marshall McLuhan e outros. As inscrições podem ser feitas, diariamente, a partir das 16 horas, na Sala Goeldi, na Praça General Osório. Preço do curso: NCr$ 15,00.

NOVIDADE: O filtro plástico para fazer café, que dispensa o uso da panela, lançado pelas Indústrias Melita. Junto vêm 40 coadores de papel e um medidor.

---

mulher
LEA MARIA

DAR SEGURANÇA É IMPORTANTE QUANDO SE EDUCA A CRIANÇ

Criadora, em 1951, e responsável até hoje pela ação Parents-Enfants, da revista Elle, a Sra. Roser Vincent está no Brasil. Veio a convite do Govêrno para pronunciar quatro conferências sôbre o assunto de sua especialidade — educação dos filhos — em várias cidades. No Rio, ela falou segunda-feira no auditório da ABI.

Acompanha um diplomata francês e mãe de três filhos, a Sra. Vincent, ao voltar da Estados Unidos para seu país, interessou-se profundamente pelos diferentes sistemas de educação na área, dela mesma regõe. E passou a ter muito o pesquisar interessamente. Os primeiros contrastes que a fizeram refletir foram: a autoridade paterna na França em oposição à liberdade dos norte-americanos, o tratamento de adults e a maneira de vestir.

Hoje ela é autora de inúmeros livros sôbre educação dos filhos, dentro e fora de casa, e um dêles é baseado em enquête levada a efeito na campo e na cidade, para saber como as famílias francesas educavam seus filhos. Constatou que os habitantes do campo são muito mais autoritários, em relação aos filhos, que os das cidades — onde existe a preocupação de aprender sôbre a psicologia das crianças. A outra constatação é a de que o meio intelectual é bem mais liberal que o meio popular.

A melhor educação estão, na opinião da Sra. Vincent, na classe média, a mais estável. Atualmente, êsse conceito de diferença

entre educação autoritária e liberal está ultrapassado. As duas maneiras podem ser boas ou más, segundo o contexto social em que a se vive e a personalidade dos pais. Mas é desenvolvendo a passagem brusca de um para outro método. No caso de educação autoritária transformada bruscamente em liberal, as crianças, que não recebem formação para a responsabilidade, explodem ao serem deixadas livres.

— Mas é preciso fazer uma diferença dentro do próprio liberalismo, diz a jornalista francesa. Muita gente interpreta-o como o laisser faire, attitude que os educadores de tôda a parte repelem energicamente.

O QUE É BOM PARA TODOS

— Há duas regras básicas, duas coisas importantes na educação: a segurança e a possibilidade de aprender. Uma boa educação dá toda segurança que se oferece ao nenê, desde o berço; em contato, não deve ser desmedida, pois seguramos em excesso impede a criança de aprender-se. Bos educação deve ser a da responsabilidade progressiva. Quando que justa, e não bem os filhos de um país personalidade e não têm mêdo de dizer a verdade; os pobres são os que têm mêdo dos próprios filhos.

Na França, a mulher continua ligada à ela, sentimental e geograficamente. Isso a impede, segundo o mais culta e preparada da traballar fora.

Com a evolução dêsse estado de coisas, os jovens mais na França, ao contrário das gerações que precederam, vivem um plano de igualdade. Tôdas as decisões im-

pesso que um papel será destruir." Sua opção na revista Elle é uma das pensas da imprensa francesa realmente especializada no assunto. E essa leitora recorre a ela para expor seus problemas e pedir conselhos. Rose Vincent responde a tôdas as cartas e conta que, uma mais tarde, constata-se reber outras com renativo de da aplicação de sua orientação. Além de escrever livros sôbre o assunto, é frequentemente convidada a fazer conferências em público como no Brasil.

A DIREÇÃO DA EVOLUÇÃO

Em sua conferência aqui no Rio analisou a família do ponto-de-vista histórico e social. Pas várias revelações, entre as quais a de que no melo burguês da França, na classe privilegiada, trabalhar fora é uma promoção social para a mulher. Ao expor seus problemas e pedir conselhos. Rose Vincent responde a tôdas as cartas e conta que, uma mais tarde, constata-se reber outras com renativo de da aplicação de sua orientação. Além de escrever livros sôbre o assunto, é frequentemente convidada...

portantes são tomadas em com to. Não existe mais a pesquisa Europe ou Reinha? O reput vel pelo sustento do casal é o rido, e o dinheiro ganho pela lher é para seus problemas e para o colocado de lado par compra de supérfluos. On são iguais, o senhor e mestre desapanecem e a postura fica se a evoluindo no mesmo sentido.

Outra revelação da joyen é de que a presença do pai necessária, sendo do rural uma de suas causa viver nas cidades, os casais têm mais o convívio de grande milia com que contaram as...

E sua desculpa são encontra justamente aí. "Isto não teria acontecido se eu não tivesse tido o filho" — é um comentário-muss.

O diretor-adjunto do Centro Nacional de Infância de Paris, faz regras parisienses, acompanhou alguns conclusões:

— Querer muitas filho é que a criança tem filho é que a criança tem filho é que a criança tem filho...

A FICHA DO AGRIÃO

- Agrião: vegetal de considerável valor nutritivo pelos sais minerais e vitaminas que possui. Dêsses sais, o cálcio é o que se apresenta em maior proporção e com grande utilização pelo organismo; em menores quantidades, o ferro, o sódio e o potássio. As vitaminas A e C são encontradas no agrião em boa quota e as B1 e B2 em pequenas doses.

- Como tôdas as hortaliças, o agrião deve ser lavado em água corrente abundante, durante 30 minutos, ou pode ser depositado em água com limão. Além de se prestar bem para saladas, o agrião também serve como recheio de empadão, em substituição de carne, de peixe, e de siri.

- Valor calórico: 23 calorias em 100g. Preço (esta semana): NCr$ 0,20.

A REABILITAÇÃO DO FILHO ÚNICO

Os filhos únicos estão começando a ser reabilitados diante da sociedade — ou se apontava até agora de uma certa maneira. Há de preparo para as lutas da vida, falta de disciplina na escola. Psicólogos e psiquiatras concordavam com isto. Um dêles disse: "O filho único é uma criança muito mais que os outros.

"Os cite handle da Apolo-1' dêz filhos únicos. Melhor ainda, 21 dos 23 comandantes eram filhos únicos. No filhos únicos, os de filhos mais velhos. Porque? Muito provàvelmente por — os psicólogos da infância o observaram — os pais concederam aos filhos ambição e confiar mais intimamente. Os pais dos filhos únicos e as vantagens da filha única.

— A primeira vez que o filho pede qualquer coisa nêste mundo óu atenção de uma série de males da

reconhece num filho único, inclusive o de egoísmo, ingratidão, falta de preparo para as lutas da vida, falta de disciplina na escola. Psicólogos e psiquiatras concordavam com isto. Um dêles disse: "O filho único é uma criança muito mais que os outros.

— Em nosso dias a casa cidade, a educação de uma criança não pode ser harmoniosa ar el filho único um filho, tem filho únicos são as vantagens... O tôdo faita comparte abrigando, a brinquedo de brinquedo ar el idade, um outro egoísmo que defenda sua autonomia, dando-lhe naturalmente a noção de que se deve, afinar alguns do próprio.

VANTAGENS OU NÃO?

Mas uma nova tendência está se impondo, inclusive entre os psicólogos. Nesta essa pesquisa suportam-se "As relações particulares do filho único com o adulto da casa...

tual que o ajuda no sucesso escolar; o filho único é limpo, organizado, menos inclinado aos brinquedos violentos. Por um lado, entretanto, costuma melhores condições de desenvolvimento de suas possibilidades intelectuais do que uma criança de família numerosa."

Outra experiência, no assunto, concede recente intelectualmente com a afirmação acima. Diz: "O filho de um filho único é bem como qualquer outro. Pode, no máximo, revelar, atentar certas potencialidades narcísicas, que estão em tôdos os homens.

"INOVAÇÃO DE CONCEITOS

Em tôdo o caso, o estudo do filho único só deve ser feito tendo em vista as condições do ambiente familiar. O único filho estava também numa situação especial. Se êsse único filho é fruto do desejo que os pais realizam no ambiente harmonioso e equilibrado, o único filho deve ser realmente o espírito dos pais. Quando o único filho se encerpaldiça de um acidente, nada de mau. Na maioria dos casos, porém sempre provocada pelo ciúme. A mais tardio.

"A ret entrosado o filho família muito numerosa que o problemas, por uma que o maior: a relação da mãe estou filho no com o convívio. As crianças nem podem brincar...

3 Reprodução da primeira coluna
de Drummond no jornal carioca.

4 O famoso bar Garota de
Ipanema, no bairro da Zona Sul
carioca. A fauna dos botequins
é personagem frequente dos contos.

5

5 Greta Garbo, personagem de conto
e uma das paixões cinematográficas
de Carlos Drummond de Andrade.

6 e 7 Guimarães Rosa e Lúcio Cardoso,
respectivamente, homenageados em
"Encontro".

6

7

8

8 No aeroporto do Galeão
com a filha Maria Julieta
(década de 1970).

CONTOS PLAUSÍVEIS

CARLOS DRUMMOND DE ANDRADE
CONTOS PLAUSÍVEIS

POSFÁCIO
Noemi Jaffe

COMPANHIA DAS LETRAS

Carlos Drummond de Andrade © Graña Drummond
www.carlosdrummond.com.br

Grafia atualizada segundo o Acordo
Ortográfico da Língua Portuguesa de 1990,
que entrou em vigor no Brasil em 2009.

CAPA E PROJETO GRÁFICO
warrakloureiro
A partir de *Sombra do fotógrafo José Medeiros*,
de Thomas Farkas, Rio de Janeiro, 1946.
Acervo Instituto Moreira Salles
PESQUISA ICONOGRÁFICA
Regina Souza Vieira
ESTABELECIMENTO DE TEXTO
Eduardo Coelho
PREPARAÇÃO
Claudia Agnelli
REVISÃO
Jane Pessoa
Renata Lopes Del Nero

Dados Internacionais de Catalogação na Publicação
(Câmara Brasileira do Livro, SP, Brasil)

Andrade, Carlos Drummond de, 1902-1987.
    Contos plausíveis / Carlos Drummond de
Andrade; posfácio Noemi Jaffe. — 1ª ed. —
São Paulo: Companhia das Letras, 2012.

ISBN 978-85-359-2164-9

1. Contos brasileiros I. Jaffe, Noemi. II. Título.

12-10550   CDD-869.93

Índice para catálogo sistemático:
1. Contos: Literatura brasileira 869.93

Sumário

13 Nota do autor

15 Estes contos
16 A bailarina
17 A bailarina e o morcego
18 A beleza total
19 Abotoaduras
20 A condição geral
21 A cor de cada um
22 A cor falante
23 A escola perfeita
24 A fala vegetal
25 A falsa eternidade
26 A hóspede importuna
27 A imagem no espelho
28 A incapacidade de ser verdadeiro
29 A lanterninha
30 Alma perdida
31 A melhor opção
32 A mesa falante
33 A moda autoritária
34 A mudança
35 A mulher variável
36 Andorinhas de Atenas
37 A noite
38 A noite da revolta
39 A Opinião em palácio
40 A orquestra odiosa
41 A perfeita sabedoria
42 Aquele bêbado
43 Aquele casal
44 Aquele clube

45 Aquele crime
46 A salvação da pátria
47 A solução
48 As pérolas
49 As Três Graças
50 A tapeçaria burlada
51 A terra do índio
52 A verdade dividida
53 A vez dos ferreiros
54 A 26ª obra-prima
55 A volta das cabeças
56 A volta do guerreiro
57 Bandeira 2
58 Binóculos
59 Bom tempo
60 Bom tempo, sem tempo
61 Carta extraviada
62 Casamento por cinco anos
63 Casos de baleias
64 Coleguismo
65 Conversa de correligionários
66 Convívio
67 Crime e castigo
68 Desemprego
69 Desta água não beberás
70 Deus quer otimismo
71 Diálogo das notas
72 Diálogo de todo dia
74 Diálogo filosófico
75 Diálogo final
76 Duas sombras
77 Elementos de um conto

78 Encontro
79 Entre flores
80 Episódio veneziano
81 Essas meninas
82 Excesso de companhia
83 Experiência
84 Fugir do Carnaval
85 Furto de flor
86 Garbo e Marlene
87 Gêmeos
88 Governar
89 História mal contada
90 Histórias para o rei
91 Idílio funesto
92 Incêndio
93 Lavadeiras de Moçoró
94 Lavadeiras de Moçoró — II
95 Leite sem parar
96 Liberdade
97 Linguagem do êxtase
98 Mãe sem dia
99 Maneira de amar
100 Medalhas
101 Meu corvo
102 Milagre
103 Na cabeceira do rio
104 Nasceu uma ninfa
105 Necessidade de alegria
106 No interior da baleia
107 Novo dicionário
108 O admirador
109 O admirador — II

110 O amor das formigas
111 O anticirco
112 O assalto
113 O banho surpreendido
114 O bebedor total
115 O bem mais perigoso
116 O casamento do século
117 O casamento secreto
118 O discurso vivo
119 Odisseia
120 O entendimento dos contos
121 O homem observado
122 O homem que fazia chover
123 O intérprete
124 O lazer da formiga
125 O locutor esportivo
126 Onde ninguém entra
127 O nome
128 O pão do Diabo
129 O papagaio premiado
130 O perguntar e o responder
131 O poder de uma rabeca
132 O rei e o feno
133 O rei e o poeta
134 O relógio de sol e o de nuvens
135 Os dados essenciais
136 Os diferentes
137 Os esquadrões
138 O sexto gato
139 Os licantropos
140 Os limites da imaginação
141 O sofrimento de Jó

142 Os privilegiados da Terra
143 O tempo na rua
144 O torcedor
146 O trabalhador injustiçado
147 Ou isto ou aquilo
148 Parabéns por tudo
149 Poder da etimologia
150 Poesia sem deuses
151 Queijo para dois
152 Rick e a girafa
153 Saber perguntar
154 Salvo se
155 Santo de pau oco
156 Sinatra
157 Solange
158 Subsistência
159 Tentativa de posse
160 Tudo bem
161 Um caso de paixão
163 Um livro e sua lição
164 Unidade partidária
165 Verão excessivo
166 Volta à casa paterna
167 Votação inconclusa

169 Nota da edição

171 Posfácio
    Prosa de brinquedo, NOEMI JAFFE
179 Leituras recomendadas
180 Cronologia
186 Créditos das imagens

CONTOS PLAUSÍVEIS

Estes contos (serão contos?) não são plausíveis na acepção latina de merecerem aplauso. São plausíveis no sentido de que tudo neste mundo, e talvez em outros, é crível, provável, verossímil. Todos os dias a imaginação humana confere seus limites, e conclui que a realidade ainda é maior do que ela. Não posso dizer, verdadeiramente, que os escrevi. Escreveram-se no dia a dia do *Jornal do Brasil*, sem intermediação de forças misteriosas. Queriam existir como estórias, ocuparam papel e hoje formam livro.

CARLOS DRUMMOND DE ANDRADE

Há muita coisa a emendar em meus contos. Às vezes eles saem totalmente ao contrário daquilo que pretendiam contar. Costumam até ficar melhor, mas nem sempre.

Certos contos, os mais simples, parecem inverossímeis, e os inverossímeis, pois também escrevi alguns desta natureza, despertam o comentário: "Daí, quem sabe? Tudo pode acontecer". Tenho a impressão de que tudo pode mesmo acontecer em matéria de contos, ou melhor, no interior deles. Houve um que se recusou a terminar, como se dissesse: "Fica tão bom assim... Só você não percebe isto". Duas historietas exigiram que as concluísse confessando minha incapacidade de contista. Como eu me recusasse a atendê-las, retrucaram: "Não faz mal. Não é preciso confessar; todos sabem".

Só um de meus contos me acompanha por toda parte, ao jeito de gato fiel, sem que o faça para pedir alimento. É um continho bobo, anão, contente da vida. Vai no meu bolso. Não o leio para ninguém. Seu calor me agasalha. Já não me lembra o que diz, pois nunca o releio, mas sei que é raríssimo o texto que seja amigo do autor, e quanto a este, não duvido. Meu melhor amigo é um continho em branco, de enredo singelo, passado todo ele na antena esquerda de um gafanhoto.

A BAILARINA

A profissão de bufarinheiro está regulamentada; contudo, ninguém mais a exerce, por falta de bufarinhas. Passaram a vender sorvetes e sucos de fruta, e são conhecidos como ambulantes. Conheci o último bufarinheiro de verdade, e comprei dele um espelhinho que tinha no lado oposto uma bailarina nua. Que mulher! Sorria para mim como prometendo coisas, mas eu era pequeno, e não sabia que coisas fossem. Perturbava-me. Um dia quebrei o espelho, mas a bailarina ficou intacta. Só que não sorria mais para mim. Era um cromo como outro qualquer. Procurei o bufarinheiro, que não estava mais na cidade, e provavelmente teria mudado de profissão. Até hoje não sei qual era o mágico: se o bufarinheiro, se o espelho.

A BAILARINA E O MORCEGO

Há um morcego voando de madrugada pela rua Montenegro. Sempre depois de duas horas, nunca depois de quatro. Escolhe entre janelas abertas e penetra em quartos de moças, para chupar-lhes o sangue. Faz isso tão de leve que a vítima não acorda, e só de manhã, ao se levantar, sente ardor em pequeno ponto arroxeado do pescoço.

Há quem discuta a identidade do animal, e afirme tratar-se de vampiro humano, como os há na Transilvânia. Falta consistência à afirmação, pois homem algum atingiria o sétimo andar subindo pela fachada dos edifícios.

Muitos moradores já viram o morcego e tentaram matá-lo. Ele escapa, e se diria que não teme represálias, pois voltou pela terceira vez ao quarto de Hercília Fontamara, bailarina do Teatro Municipal.

Aos repórteres, Hercília falou que começa a habituar-se ao fato de ser visitada por um morcego que lhe retira algumas gotas de sangue sem maior dano. Ela observou que, a partir da primeira visita, aumentou sua flexibilidade muscular nos ensaios, e que nunca dançou tão bem como daí por diante. Espera ter um desempenho perfeito na apresentação de *Giselle*, se na noite da véspera oferecer um pouco de si mesma ao estimulante quiróptero.

A BELEZA TOTAL

A beleza de Gertrudes fascinava todo mundo e a própria Gertrudes. Os espelhos pasmavam diante de seu rosto, recusando-se a refletir as pessoas da casa e muito menos as visitas. Não ousavam abranger o corpo inteiro de Gertrudes. Era impossível, de tão belo, e o espelho do banheiro, que se atreveu a isto, partiu-se em mil estilhaços.

A moça já não podia sair à rua, pois os veículos paravam à revelia dos condutores, e estes, por sua vez, perdiam toda capacidade de ação. Houve um engarrafamento monstro, que durou uma semana, embora Gertrudes houvesse voltado logo para casa.

O Senado aprovou lei de emergência, proibindo Gertrudes de chegar à janela. A moça vivia confinada num salão em que só penetrava sua mãe, pois o mordomo se suicidara com uma foto de Gertrudes sobre o peito.

Gertrudes não podia fazer nada. Nascera assim, este era o seu destino fatal: a extrema beleza. E era feliz, sabendo-se incomparável. Por falta de ar puro, acabou sem condições de vida, e um dia cerrou os olhos para sempre. Sua beleza saiu do corpo e ficou pairando, imortal. O corpo já então enfezado de Gertrudes foi recolhido ao jazigo, e a beleza de Gertrudes continuou cintilando no salão fechado a sete chaves.

ABOTOADURAS

O maior fabricante de abotoaduras de punho fechou a indústria depois de convencer-se de que é infinitamente reduzido o número de camisas de manga comprida, à disposição da humanidade. E, mais, que os exemplares deste gênero, ainda existentes, são providos de botões, dispensando abotoaduras.

— Trabalhei a vida inteira no setor — lastimava-se — e almejava legar a meus filhos a tradição das abotoaduras de punho, como requinte terminal de uma camisa digna desse nome. Os fatos ergueram-se contra mim. Não posso mais produzir abotoaduras de punho para camisas sem punho ou de punho abastardado por míseros botões de plástico.

Concluiu que é o fim da civilização, e ia enforcar-se numa camisa esporte, estampada, quando esta, movida por vento súbito, saiu pelos ares, qual bandeira solta. E era tão bonito o esvoaçar do pano bigarreado, tão graciosas as evoluções, que o homem resolveu desistir da morte e aplicar sua fortuna em uma indústria colossal de camisas de manga curta.

A CONDIÇÃO GERAL

O barro entendia que estão abusando de sua docilidade para a feitura de cerâmicas vulgares. A água queixou-se de recolher todas as imundícies da Terra, ela que sempre foi sinônimo de limpeza. O boi nem precisou falar: era a imagem da revolta contra o sacrifício da espécie — de todas as espécies imoladas. "E a mim?" — gemeu a árvore —, "a mim, que desempenho função vital no sistema da Terra, tacam-me fogo ou retalham-me a serra e machado."

Os quatro concordaram que não está direito. Reclamaram do homem, e este lhes declarou que não podia fazer nada. Vive onerado de impostos, afligido de doenças, e mal tem tempo de se coçar. "Em vez de me coçar", acrescentou, "assisto a seriados americanos de televisão, enquanto não se inventa outra coisa. E me entedio. Voltem para seus lugares e guardem o que lhes digo. Vocês pensam que ser homem é fácil?"

A COR DE CADA UM

Na República do Espicha-Encolhe cogitava-se de organizar partidos políticos por meio de cores.

Uns optaram pelo partido rosa, outros pelo azul, houve quem preferisse o amarelo, mas vermelho não podia ser. Também era permitido escolher o roxo, o preto com bolinhas e finalmente o branco.

— Este é o melhor — proclamaram uns tantos. — Sendo resumo de todas as cores, é cor sem cor, e a gente fica mais à vontade.

Alguns hesitavam. Se houvesse o duas-cores, hem? Furta--cor também não seria mau. Idem, o arco-íris. Havia arrependidos de uma cor, que procuravam passar para outra. E os que negociavam: só adotariam uma cor se recebessem antes cem metros de tecido da mesma cor, que não desbotasse nunca.

— Justamente o ideal é a cor que desbota — sentenciou aquele ali. — Quando o governo vai chegando ao fim, a fazenda empalidece, e pode-se pintá-la da cor do sol nascente.

Este sábio foi eleito por unanimidade presidente do Partido de Qualquer Cor.

A COR FALANTE

Uma tapeçaria de Bia Vasconcelos tem o título de *Altas confidências.*

Na trama aparecem duas cabeças interlocutoras, de cujas bocas saem sopros coloridos que, juntando-se, formam arco-íris.

Quem colar ouvido ao estofo, e tiver sensibilidade, escutará esse arco-íris, em sua linguagem murmurejante, contando coisas extraordinárias, passadas no coração do homem e da mulher, pois se trata de um casal.

Alguém experimentou colocar um gravador bem junto da tapeçaria, e nada registrou, porque ela se recolheu imediatamente ao silêncio.

As confidências são altas, não porque se exprimam em tom de voz elevada; são altas em si, pela importância do significado, pelo conteúdo patético da informação, que só a cor pode captar bem e, bem captado, se transforma em som, mas só para ouvidos especiais.

No escuro, é quando melhor se pode perceber este som, oferecido a alguns sob rigoroso sigilo.

A ESCOLA PERFEITA

A Escola de Pais, fundada em Sambaíba, no Maranhão, não deu os resultados com que se sonhava. O estabelecimento tinha pouca frequência, e os pais iam beber no botequim próximo. A direção da escola achou conveniente experimentar novos métodos, e colocou a responsabilidade do ensino nas mãos dos filhos dos alunos.

A princípio o aproveitamento foi extraordinário, pois os adolescentes que passaram a controlar a casa exerceram disciplina severa, exigindo dos pais o máximo de aplicação, pontualidade e aproveitamento. Depois, a disciplina foi abrandando, e havia meninos que convidavam seus pais e os pais de outros meninos a trocar a aula por futebol, no que eram atendidos.

Ao fim do semestre, a Escola de Pais tornara-se Escola de Pais e Filhos, sem programa definido, despertando imitação em outros pontos do estado e até no Piauí.

Era uma escola festiva, em que os macacos, as borboletas, os seixos da estrada não só faziam parte do material escolar como davam palpites sobre a matéria, por esse ou aquele modo peculiar a cada um deles. O entusiasmo foi tamanho que pais e filhos chegaram à conclusão que melhor fora transformar o estabelecimento, já então sem sede fixa nem necessidade de tê--la, numa escola natural de coisas, em que tudo fosse objeto de curiosidade, sem currículo, e surgiu a escola da natureza, sem mestres, sem alunos, sem decreto, sem diploma, onde todos aprendem de todos, na maior alegria e falta de cerimônia, até que o Incra ou outro organismo civilizador qualquer se lembre de dividir as terras de Sambaíba em fatias burocráticas e legais. Será a escola perfeita?

A FALA VEGETAL

Não é mistério para os entendidos que há uma linguagem das plantas, ou, para ser mais exato, que a cada planta corresponde uma linguagem. Como a variedade de plantas é infinita, faz-se impossível ao entendimento, por muito atilado que seja, captar todas as vozes de vegetais. E só os mais perspicazes entre os humanos conseguem entender a conversa entre duas plantas de espécies diferentes: cada uma usa o seu vocabulário, como por exemplo num diálogo em que A falasse em espanhol e B respondesse em alemão.

Levindo, jardineiro experiente, chegou a dominar as linguagens que se entrecruzavam no jardim. Um leigo diria que não se escutava nada, salvo o zumbir de moscas e besouros, mas ele chegava a distinguir o suspiro de uma violeta, e suas confidências ao amor-perfeito não eram segredo para os ouvidos daquele homem.

Até que um dia as plantas desconfiaram de que estavam sendo espionadas e planejaram a conspiração de silêncio contra Levindo. Passaram a comunicar-se por meio de sinais altamente sigilosos, renovados a cada semana. Em vão o jardineiro se acocorava a noite inteira no jardim, na esperança de decifrar o código. Enlouqueceu.

Perdendo o emprego, as coisas não voltaram à normalidade. As plantas haviam esquecido o hábito de conversar direito. Já não se entendiam, brigavam de haste contra haste, muitas se aniquilaram em combate. O jardim foi invadido pelas cabras, que pastaram o restante da vegetação.

A FALSA ETERNIDADE

O verbo prorrogar entrou em pleno vigor, e não só se prorrogaram os mandatos como o vencimento das dívidas e dos compromissos de toda sorte. Tudo passou a existir além do tempo estabelecido. Em consequência não havia mais tempo. Então suprimiram-se os relógios, as agendas e os calendários. Foi eliminado o ensino de história. Para que história? Se tudo era a mesma coisa, sem perspectiva de mudança.

A duração normal da vida também foi prorrogada e, porque a morte deixasse de existir, proclamou-se que tudo entrava no regime de eternidade. Aí começou a chover, e a eternidade se mostrou encharcada e lúgubre. E o seria para sempre, mas não foi. Um mecânico que se entediava em demasia com a eternidade aquática inventou um dispositivo para não se molhar. Causou a maior admiração e começou a receber inúmeras encomendas. A chuva foi neutralizada e, por falta de objetivo, cessou. Todas as outras formas de duração infinita foram cessando igualmente.

Certa manhã, tornou-se irrefutável que a vida voltara ao signo do provisório e do contingente. Eram observados outra vez prazos, limites. Tudo refloresceu. O filósofo concluiu que não se deve plagiar a eternidade.

A HÓSPEDE IMPORTUNA

O joão-de-barro já estava arrependido de acolher em casa a fêmea que lhe pedira agasalho em caráter de emergência. Ela se desentendera com o companheiro e este a convidara a retirar-se. Não tendo habilidades de construtor, recorreu à primeira casa de joão-de-barro que encontrou, e o dono foi generoso, abrigando-a. Sucede que o joão-de-barro era misógino, e construíra a habitação para seu uso exclusivo. A presença insólita perturbava seus hábitos. Já não sentia prazer em voar e descansar, e sabe--se como os joões-de-barro são joviais. A fêmea insistia em estabelecer com ele o dueto de gritos musicais, e parecia inclinada a ir mais longe, para grande aborrecimento do solitário.

Então ele decidiu pedir o auxílio de um colega a fim de se ver livre da importuna. O amigo estava justamente tomando as primeiras providências para fazer casa. "Antes de prosseguir, você vai me fazer um obséquio", disse-lhe. "Vamos até lá em casa e veja se conquista uma intrusa que não quer sair de lá."

O segundo joão-de-barro atendeu ao primeiro e, no interior da casa deste, cativou as graças da ave. Achou-se tão bem lá que não quis mais sair. Para que iria dar-se ao trabalho de construir casa, se já dispunha daquela, com amor a seu lado?

Assim quedaram os três, e o dono solteirão, sem força para reagir, tornou-se serviçal do par, trazendo-lhe alimentos e prestando pequenos serviços. Ainda bem que construíra uma casa espaçosa — suspirava ele.

A IMAGEM NO ESPELHO

Aos vinte anos escreveu suas memórias. Daí por diante é que começou a viver. Justificava-se:

— Se eu deixar para escrever minhas memórias quando tiver setenta anos, vou esquecer muita coisa e mentir demais. Redigindo-as logo de saída, serão mais fiéis e terão a graça das coisas verdes.

O que viveu depois disto não foi precisamente o que constava do livro, embora ele se esforçasse por viver o contado, não recuando nem diante de coisas desabonadoras. Mas os fatos nem sempre correspondiam ao texto e, para ser franco, direi que muitas vezes o contradiziam.

Querendo ser honesto, pensou em retificar as memórias à proporção que a vida as contrariava. Mas isto seria falsificação do que honestamente pretendera (ou imaginara) devesse ser a sua vida. Ele não tinha fantasiado coisa alguma. Pusera no papel o que lhe parecia próprio de acontecer. Se não tinha acontecido, era certamente traição da vida, não dele.

Em paz com a consciência, ignorou a versão do real, oposta ao real prefigurado. Seu livro foi adotado nos colégios, e todos reconheceram que aquele era o único livro de memórias totalmente verdadeiro. Os espelhos não mentem.

A INCAPACIDADE DE SER VERDADEIRO

Paulo tinha fama de mentiroso. Um dia chegou em casa dizendo que vira no campo dois dragões da independência cuspindo fogo e lendo fotonovelas.

A mãe botou-o de castigo, mas na semana seguinte ele veio contando que caíra no pátio da escola um pedaço de lua, todo cheio de buraquinhos, feito queijo, e ele provou e tinha gosto de queijo. Desta vez Paulo não só ficou sem sobremesa como foi proibido de jogar futebol durante quinze dias.

Quando o menino voltou falando que todas as borboletas da Terra passaram pela chácara de siá Elpídia e queriam formar um tapete voador para transportá-lo ao sétimo céu, a mãe decidiu levá-lo ao médico. Após o exame, o dr. Epaminondas abanou a cabeça:

— Não há nada a fazer, dona Coló. Este menino é mesmo um caso de poesia.

A LANTERNINHA

Apaguei todas as luzes, e não foi por economia; foi porque me deram uma lanterna de bolso, e tive ideia de fazer a experiência de luz errante.

A casa, com seus corredores, portas, móveis e ângulos que recebiam iluminação plena, passou a ser um lugar estranho, variável, em que só se viam seções de paredes e objetos, nunca a totalidade. E as seções giravam, desapareciam, transformavam-se. Isso me encantou. Eu descobria outra casa dentro da casa. A lanterna passava pelas coisas com uma fantasia criativa e destrutiva que subvertia o real. Mas que é o real, senão o acaso da iluminação? Apurei que as coisas não existem por si, mas pela claridade que as modela e projeta em nossa percepção visual. E que a luz é Deus.

A partir daí entronizei minha lanterninha em pequeno nicho colocado na estante, e dispensei-me de ler os tratados que me perturbavam a consciência. Todas as noites retiro-a de lá e mergulho no divino. Até que um dia me canse e tenha de inventar outra divindade.

ALMA PERDIDA

Sigefredo botou anúncio classificado, dizendo que perdera sua alma, com promessa de gratificar quem a encontrasse. Não explicou — nem podia — como a tinha perdido.

Apareceram algumas pessoas trazendo pacotes com almas, e nenhuma era a dele. Não se ajustavam a seu corpo, e mesmo que ele quisesse fazer experiência, era evidente que não combinavam com o jeito de Sigefredo. E ele era muito ocupado. Não tinha tempo a perder.

Já se resignara a viver mesmo sem alma, quando uma noite encontrou a desaparecida, à porta de um bar, com aparência de pobreza, mas tranquila.

Seu primeiro impulso foi recolhê-la, mas pensando melhor achou que não valia a pena. A alma de Sigefredo também não manifestou interesse em voltar para ele. Dir-se-ia que aprendera a viver por conta própria, e mesmo naquele estado era independente.

Sigefredo passou por sua alma sem cumprimentá-la, entrou no bar e pediu o drinque habitual. Ao sair, viu a alma, a pequena distância, dar alguns passos e lhe saírem dos ombros duas asas, com que ela se alteou, voando para a Zona Norte.

A MELHOR OPÇÃO

Todos começaram a dizer que o ouro é a melhor opção de investimento. Fernão Soropita deixou-se convencer e, não tendo recursos bastantes para investir na Bolsa de Zurique, mandou fazer uma dentadura de ouro maciço.

Substituir sua dentadura convencional por outra, preciosa e ridícula, valeu-lhe aborrecimentos. O protético não queria aceitar a encomenda; mesmo se esforçando por executá-la com perfeição, o resultado foi insatisfatório. O aparelho não aderia à boca. Seu peso era demasiado. A cada correção diminuía o valor em ouro. E o ouro subindo de cotação no mercado internacional.

O pior é que Fernão passou a ter medo de todos que se aproximavam dele. O receio de ser assaltado não o abandonava. Deixou de sorrir e até de abrir a boca.

Na calçada a moça lhe perguntou onde ficava a rua Gonçalves Dias. Respondeu inadvertidamente, e a moça ficou fascinada pelo brilho do ouro ao sol. Daí resultou uma relação amorosa, mas Fernão não foi feliz. A jovem apaixonara-se pela dentadura e não por ele. Mal se tornaram íntimos, arrancou-lhe a dentadura enquanto ele dormia, e desapareceu com ela.

A MESA FALANTE

Entre os móveis que pertenceram ao médium Aksakovo Feitosa, leiloados após o seu falecimento, estava a mesa falante que durante vinte anos serviu a seus trabalhos. Aparentemente não se distinguia de qualquer outra mesa, porém o longo hábito de prestar-se a experiências acabara por lhe conferir poderes independentes de iniciativa humana.

Convertida em mesa de jantar na casa do funcionário do Lloyd Brasileiro que a arrematara, começou a levitar quando a família festejava o aniversário da filha mais nova do casal, a menina Leonarda. O susto dos comensais foi imenso, e embargou-lhes a voz. Pálidos, ansiosos por fugir, e atados às cadeiras, todos acompanhavam os movimentos da mesa sem que pudessem detê-los.

Durou cinco minutos o fenômeno. A família voltou a mexer-se, mas os copos estavam trincados e o vinho escorria deles sobre a toalha. Junto ao prato de Leonarda, a mancha rubra formava uma cruz, que foi interpretada como presságio lúgubre.

O pai da menina desfez-se do móvel, doando-o a um asilo de velhos. A menina cresceu e casou-se com o nobre italiano Papavincini, cujo brasão encerrava uma cruz cor de sangue, e foram muito felizes. É a primeira vez em que uma história dessas acaba em casamento e felicidade.

A MODA AUTORITÁRIA

Rosemilde não está preocupada com o futuro do país. Nem com o vestibular que vem aí, e no qual pretende defender uma vaga na Faculdade de Comunicação. O que lhe põe vinco na testa é o sempre anunciado reaparecimento das saias curtas.

— Curtas até onde? Quantos centímetros? Os costureiros internacionais não dizem, e isto é muito importante. Eu tenho pernas longas, será que vão encompridá-las ainda mais?

Rosemilde pressente a ameaça dos estilistas à estética do seu corpo:

— Eles fazem de nós o que querem, nos despem, nos escondem, nos modificam, nos fantasiam, nos usam. Eu acho que nós, mulheres, é que devemos administrar nossos corpos. Mas são os homens que ditam as leis da moda. Aliás, nem são leis, são decretos-leis ou atos institucionais mal redigidos. Se ainda não conseguimos libertar-nos da tirania dos costureiros, como é que iremos reivindicar os nossos direitos maiores?

(Mas se Saint Laurent e outros ditadores estabelecerem um teto razoável de centímetros, Rosemilde é capaz de ficar quieta e obediente.)

A MUDANÇA

O homem voltou à terra natal e achou tudo mudado. Até a igreja mudara de lugar. Os moradores pareciam ter trocado de nacionalidade, falavam língua incompreensível. O clima também era diferente.

A custo, depois de percorrer avenidas estranhas, que se perdiam no horizonte, topou com um cachorro que também vagava, inquieto, em busca de alguma coisa. Era um velhíssimo animal sem trato, que parou à sua frente.

Os dois se reconheceram: o cão Piloto e seu dono. Ao deixar a cidade, o homem abandonara Piloto, dizendo que voltaria em breve, e nunca mais voltou. O animal inconformado procurava-o por toda parte. E conservava uma identidade que talvez só os cães consigam manter, na Terra mutante.

Piloto farejou longamente o homem, sem abanar o rabo. O homem não se animou a acariciá-lo. Depois, o cão virou as costas e saiu sem destino. O homem pensou em chamá-lo, mas desistiu. Afinal, reconheceu que ele próprio tinha mudado, ou que talvez só ele mudara, e a cidade era a mesma, vista por olhos que tinham esquecido a arte de ver.

A MULHER VARIÁVEL

— Não sei o que tem essa mulher, que cada dia muda de cara — suspirou o sr. Ernesto. — Nem tenho mais certeza se sou casado com ela, pois suas feições são irreconhecíveis, e me invade a sensação de conviver com muitas mulheres diferentes. Efetivamente, d. Ormélia adquirira a propriedade de ostentar a cada manhã um rosto bem diverso do seu, original. O resto do corpo continuava o mesmo.

O sr. Ernesto era virtuoso, e não queria trair a esposa, dentro de casa, com a própria esposa. Passou a olhá-la só do pescoço para baixo. E d. Ormélia mudando e nunca se repetindo.

A reputação do sr. Ernesto, não obstante sua linha moral inatacável, ficou abalada. O porteiro, o faxineiro, a empregada contavam que ele variava de mulheres no próprio lar, enquanto sua esposa sumira de vez.

Um dia, ele ficou acordado até o amanhecer, para descobrir o mistério das transformações. Viu que d. Ormélia tirava do armário uma cabeça nova e a trocava pela sua, que ela guardava no lugar da outra. O armário estava cheio de cabeças femininas.

O sr. Ernesto não quis acreditar no que via, e precipitou-se para arrancar do armário aquele arsenal de cabeças, mas d. Ormélia o deteve, sorrindo, com o dedo nos lábios, e sussurrou-lhe:

— *Souvent femme varie.*

A partir daí o sr. Ernesto conheceu em casa os prazeres da variedade em combinação com a fidelidade, pouco se lhe dando a maledicência de ignorantes.

ANDORINHAS DE ATENAS

As andorinhas de Atenas são descendentes em linha direta daquelas que viviam no tempo de Anacreonte e que pousavam no ombro do poeta quando ele libava nas tavernas. Esta informação, ministrada ao turista pelo guia, não mereceu crédito. Anacreonte (ponderou o visitante) não era de frequentar tavernas. Sentava-se à mesa dos poderosos e gozava de alta cotação social.

O guia não se impressionou com os conhecimentos biográficos:

— Pois olhe. Essas andorinhas foram trazidas de Samos pelo próprio Anacreonte, que por sinal selecionava as mais gordinhas para almoço. Era doido por andorinha no espeto.

— Como pode saber disto? — objetou o turista.

— Bem se vê que o senhor não conhece a *Antologia palatina*.

— Conheço-a, foi objeto da minha tese de mestrado, e não vi no texto uma linha que conte essa fábula.

— Meu caro senhor, peço licença para me retirar. Quem não acredita nas minhas histórias dificilmente levará uma boa impressão de Atenas.

E afastou-se com a maior dignidade.

A NOITE

Há tantas coisas germinando na noite, que nem sei como enumerá-las. À noite nascem as revoluções, tanto as que vão triunfar como as que só se realizam em pensamento, e são quase todas. Os revolucionários viram-se, inquietos, na cama. E também os que se converterão, pela manhã, a religiões novas. E os amorosos. Análises emocionais levadas ao extremo da tortura arrastam-se pelas horas lentas da noite. Como a noite é rica! A noite é o tempo de não dormir; é o de velar e procurar; de criar mundos. Demétrio quis prolongar a noite obturando todas as frestas do quarto, para que não entrasse a luz. Luz não entrou. Demétrio gozou da noite plena, continuada, e todos os pensamentos lhe floresciam. Construiu sistemas filosóficos. A escuridão era propícia a teorias políticas. Nenhum crítico foi mais perspicaz do que Demétrio, na literatura e nas artes. Aquela noite era fantástica. Demétrio quis experimentar as sensações de horror, êxtase, humilhação, glória, poder e morte. Morreu, mesmo, no escuro. Tendo sentido a morte em seu interior físico, não pôde mais tirá-la de si. É o único morto, conscientemente morto, de que já ouvi falar nesta vida. A noite é fantástica.

A NOITE DA REVOLTA

— Minha velha, está na hora de tomar o comprimido para dormir.

— Mas eu não quero dormir. Tem um filme na televisão que eu queria ver.

— Acho melhor você não ficar acordada. Pode não gostar do filme e depois passa a noite em claro.

— Não. Você tome o seu comprimido e eu prefiro ficar acordada.

— Mas eu não sei tomar o meu comprimido sem você tomar o seu. Acho que não vou dormir se tomar o comprimido sozinho.

— Experimente, Artur. Só esta noite.

— Estamos tão acostumados que, se os dois comprimidos não forem tomados juntos, acho que um não faz efeito.

— Ah, Artur, você é a cruz da minha vida. Será possível que eu não possa nem ao menos rever um filme de Cary Grant?

— Estou te estranhando, Lindaura. Nunca pensei que você tivesse paixão por esse Cary Grant.

— Muito bonito, cena de ciúmes a essa altura da vida. Trinta e oito anos de fidelidade, e você me vem com uma coisa dessas. Você se esquece que, quando a Ginger Rogers passou o Carnaval no Rio, o seu assanhamento não teve limites. Não sossegou enquanto não pediu a ela um autógrafo e Deus sabe o que mais.

— Nunca tive nada com a Ginger Rogers. Juro!

— Não teve porque ela não deu bola. Quer saber de uma coisa, Artur? Você diz que o seu comprimido sozinho não faz efeito. Então, tome também o meu. Tome os dois, tome cinco ou dez, e me deixe em paz curtindo o meu Cary Grant!

A OPINIÃO EM PALÁCIO

O rei fartou-se de reinar sozinho e decidiu partilhar o poder com a Opinião Pública.

— Chamem a Opinião Pública — ordenou aos serviçais.

Eles percorreram as praças da cidade e não a encontraram. Havia muito que a Opinião Pública deixara de frequentar lugares públicos. Recolhera-se ao Beco sem Saída, onde, furtivamente, abria só um olho, isso mesmo lá de vez em quando.

Descoberta, afinal, depois de muitas buscas, ela consentiu em comparecer ao palácio real, onde sua majestade, acariciando-lhe docemente o queixo, lhe disse:

— Preciso de ti.

A Opinião, muda como entrara, muda se conservou. Perdera o uso da palavra ou preferia não exercitá-lo. O rei insistia, oferecendo-lhe sequilhos e perguntando o que ela pensava disso e daquilo, se acreditava em discos voadores, horóscopos, correção monetária, essas coisas. E outras. A Opinião Pública abanava a cabeça: não tinha opinião.

— Vou te obrigar a ter opinião — disse o rei, zangado. — Meus especialistas te dirão o que deves pensar e manifestar. Não posso mais reinar sem o teu concurso. Instruída devidamente sobre todas as matérias, e tendo assimilado o que é preciso achar sobre cada uma em particular e sobre a problemática geral, tu me serás indispensável.

E virando-se para os serviçais:

— Levem esta senhora para o Curso Intensivo de Conceitos Oficiais. E que ela só volte aqui depois de decorar bem as apostilas.

A ORQUESTRA ODIOSA

É uma orquestra desarmônica por excelência. O maestro faz o possível para lançar a discórdia entre os instrumentos, e extrai disso um belo efeito. A trompa e o fagote não se cumprimentam, e ambos vivem de implicância com o oboé, que por sua vez trata o clarinete com soberano desdém. A flauta doce desmente seu nome, recusando o diálogo com o corne inglês. E os violinos planejam sequestrar o contrabaixo. Trompas e timbales têm ar feroz. O mais, nessa mesma linha de agressividade. Como pode uma orquestra assim povoada de desavenças alcançar tamanho êxito em suas audições? O público ouve-a em religioso silêncio. Sucedem-se as turnês pelos estados, e há convites do exterior, que ainda não puderam ser atendidos.

Devo afirmar, a bem da verdade, que a execução dos concertos é impecável, e como cada instrumento deseja não apenas suplantar, como até expulsar os demais do conjunto, há competição acirrada em torno de quem é capaz de tocar melhor. O rancor conduz a resultados sublimes, que a crítica não sabe como explicar. A orquestra apura cada vez mais suas ambições, e teme-se que no auge de seu esplendor ocorra um assassinato nas cordas.

A PERFEITA SABEDORIA

A verdadeira sabedoria está nos livros não escritos, isto é, nas folhas de papel em branco, reunidas em volumes encadernados. É a conclusão de um bibliófilo que se tornou filósofo. Trocou os livros impressos, que lhe feriam a vista, por outros de imaculada brancura, e verificou que neles reside a essência do conhecimento. Gostava de abri-los ao acaso e passar os dedos, suavemente, na superfície virgem. Nenhuma teoria falsa, nenhum erro habitava aquelas páginas. Pelo contrário: era como se o saber fora de discussão se aninhasse ali. O saber é branco, refletiu ele. As mentiras são coloridas, e as letras são a representação visual de sofismas ou enigmas carentes de interpretação.

Sua biblioteca se foi reduzindo, porque a imperfeição do papel era de certo modo um erro, e o nosso homem fugia dele. Às vezes não era defeito de fabricação, mas simples dobra ou sinal de unha deixado por alguém. O volume era condenado e, de redução em redução, a biblioteca se constituiu num só livro, que continha a verdade absoluta e suprema.

Folheá-lo seria risco imensurável, pois se acaso a página se rasgasse? Uma gota de café pingasse, ou a cinza do cigarro? Nunca mais o abriu. O livro foi posto sob redoma. O sábio contemplava-o em êxtase. Dormia feliz, certo de que a sabedoria inefável estava a dois passos da cama, protegida.

O calor partiu o cristal da redoma, e ao retirar o livro dentre os estilhaços ele cortou a mão, que sangrou sobre o volume, conspurcando a perfeita sabedoria. Nunca mais foi feliz.

AQUELE BÊBADO

— Juro nunca mais beber — e fez o sinal da cruz com os indicadores. Acrescentou:

— Álcool.

O mais, ele achou que podia beber. Bebia paisagens, músicas de Tom Jobim, versos de Mário Quintana. Tomou um pileque de Segall. Nos fins de semana, embebedava-se de *Índia reclinada*, de Celso Antônio.

— Curou-se cem por cento do vício — comentavam os amigos.

Só ele sabia que andava mais bêbado que um gambá. Morreu de etilismo abstrato, no meio de uma carraspana de pôr de sol no Leblon, e seu féretro ostentava inúmeras coroas de ex-alcoólatras anônimos.

AQUELE CASAL

O sr. Inclusive roía as unhas, preocupado. A sra. Alternativa, sua mulher, dissera que não ia se demorar, e já se haviam passado cinco horas sem que ela voltasse.

— Com Alternativa não se pode ficar sossegado — resmungava ele. — Inclusive já pedi a ela que percorresse sempre o mesmo caminho de volta, que é o mais curto e o mais seguro. Não quer me ouvir, prefere dar voltas. Alega que assim está sempre experimentando novas possibilidades de caminho, e quem sabe se não descobrirá um dia a mais favorável.

A sra. Alternativa, postada diante de uma bifurcação, hesitava na escolha de rumos. E consultando um caderninho, monologava:

— Meu problema é escolher entre dois caminhos, mas eu preferia que a escolha fosse entre nove ou dez. O bom seria que de uma alternativa derivasse outra alternativa, e assim por diante, gerando número infinito de opções. O Inclusive não compreende isto. Fica pensando que todas as alternativas podem se englobar no processo de inclusão. Ele esquece que todo inclusive tem a alternativa de um exclusive (aliás, de muitos). Isso torna a nossa vida conjugal bastante monótona. Pensando bem, só há uma alternativa para mim: o divórcio ou um amante sensível às variantes da vida.

— Inclusive já pensei em matá-la — disse consigo o marido, à mesma hora, andando de um lado para outro. — Como é que eu posso viver com uma mulher que inclusive não tem hora de chegar em casa?

AQUELE CLUBE

O Clube dos Desconfiados teve existência breve. Sua utilidade era indiscutível. Por isso congregou inúmeros desconfiados, que em sociedade se sentiriam mais garantidos contra possíveis más intenções e surpresas desagradáveis. Uma vez reunidos e organizados, com estatutos e diretoria, passaram a desconfiar uns dos outros e de si mesmos. Marcada assembleia geral extraordinária para exame da situação, ninguém compareceu. Ficaram todos nas esquinas próximas, espiando quem entrava na sede. O porteiro, desconfiadíssimo, sumiu.

AQUELE CRIME

Aquele crime ficou ignorado longos anos, e quando se espalhou a notícia, nem o criminoso vivia mais, e todas as testemunhas que possivelmente estariam em condições de esclarecer alguma coisa tinham morrido. A vítima fora uma pessoa muito amada de todos, mas pensava-se que tivera morte natural. Papéis encontrados por acaso revelaram entretanto o caso, que encheu a todos de estupefação.

Pela primeira vez se positivava a execução de um crime perfeito, mas tão perfeito mesmo, que o autor se decidira a revelá-lo, cinquenta anos após o delito, naqueles escritos que, matematicamente, levariam meio século a serem descobertos. Como aconteceu.

Chegou-se à conclusão de que não houvera motivo algum para o crime, senão esse de ser tão bem planejado e consumado que ninguém jamais descobriria o criminoso e muito menos o crime, se ele próprio não o concebesse como obra-prima, destinada ao futuro. No fundo, um vaidoso, crente na posteridade.

A SALVAÇÃO DA PÁTRIA

No bar, os bêbados salvaram a pátria. Se os planos eram em forma de chope, a salvação fazia-se tranquila, e o superempréstimo internacional, garantido pela exploração intensiva da *Manihot utilissima* durante vinte anos, traria o desejado equilíbrio financeiro, social e humano.

Os argumentos revestidos de uísque suscitavam maior debate, diversificando-se de modo a abranger desde o resgate da dívida externa, mediante empréstimo compulsório de mil cruzeiros por cidadão, durante doze meses, até a redistribuição efetiva da renda nacional, fosse qual fosse o *per capita*, ficando cada brasileiro, daí por diante, pago e quite com o governo, sem direito a reclamar senão votos de boas-festas.

Uma sugestão à base de vodca foi repelida, porque exigia de cada cidadão três horas de serviço braçal pesado em usinas, abertura de estradas, construção de viadutos etc.

O garçom Foguinho, estimado por todos, sugeriu que, à vista de já raiar sanguínea e fresca a madrugada, a salvação da pátria fosse adiada para a noite seguinte. Todos aplaudiram o alvitre e, retirando-se cambaleantes, entraram em acordo, fosse qual fosse o plano a ser adotado. Foguinho foi incumbido de executá-lo, no mais alto posto da nação. Agradeceu a prova de confiança e jurou que, na eventualidade, tudo faria para o bem de todos.

A SOLUÇÃO

O custo de vida continuava subindo. Subindo. Os tratadistas de ciências econômicas já não tinham explicações científicas para a ascensão contínua, cada vez mais acelerada.

— Deve ser fenômeno psicológico — explicou um explicador. — O custo de vida sobe porque a gente acha que ele está subindo. Se a gente achasse o contrário, ele iria baixando, baixando, até ficar deste tamanhim — e levantava o dedo mínimo, esse que serve para fixar o salário.

Os habitantes fizeram tamanha força para achar que estava baixando, que muitos adoeceram de exaustão, com febre que também subia a cada hora. Como subiam os remédios febrífugos, cada vez mais caros.

Então as autoridades especializadas propuseram ao governo uma linha de financiamentos para montagem de fábricas de escadas elásticas, que os habitantes passarão a usar, acompanhando a elevação do custo de vida. Sempre. *Ad astra.*

AS PÉROLAS

Dentro do pacote de açúcar, Renata encontrou uma pérola. A pérola era evidentemente para Renata, que sempre desejou possuir um colar de pérolas, mas sua profissão de doceira não dava para isto.

— Agora vou esperar que cheguem as outras pérolas — disse Renata, confiante. E ativou a fabricação de doces, para esvaziar mais pacotes de açúcar.

Os clientes queixavam-se de que os doces de Renata estavam demasiado doces, e muitos devolviam as encomendas. Por que não aparecia outra pérola? Renata deixou de ser doceira qualificada, e ultimamente só fazia arroz-doce. Envelheceu.

A menina que provou o arroz-doce, aquele dia, quase já ia quebrando um dente, ao mastigar um pedaço encaroçado. O caroço era uma pérola. A mãe não quis devolvê-la a Renata, e disse:

— Quem sabe se não aparecerão outras, e eu farei com elas um colar de pérolas? Vou encomendar arroz-doce toda semana.

AS TRÊS GRAÇAS

Um doutor em estética do corpo, ao visitar o Museu do Prado, em Madri, achou que as Três Graças, na tela de Rubens, sofriam de celulite, mais acentuada na Graça do centro.

Procurou o diretor do museu e sugeriu-lhe que o quadro fosse submetido a tratamento especial, de modo a ajustar os nus femininos aos cânones de beleza e higidez que hoje cultuamos.

O diretor ouviu-o polidamente e respondeu que nada havia a fazer, pois as obras-primas do passado são intocáveis, salvo quando acidente ou atentado tornam imperativa a restauração. Além do mais, pode ser que no século XVII o que hoje chamamos de celulite fosse uma graça suplementar.

À noite, o esteta inconformado tentou penetrar no museu, foi impedido e preso. Interrogado, explicou que queria raptar o quadro e confiá-lo a famoso especialista em cirurgia plástica, pois o caso não era de restauração nem de regime alimentar. Seria a primeira vez em que uma obra de arte receberia tratamento médico especializado, feito o qual tornaria ao museu.

O homem foi mandado embora, com a advertência de que sua presença não seria mais tolerada em museus espanhóis. E aconselhado a frequentar assiduamente as praias, para se habituar às imperfeições do corpo humano, que formam a perfeição relativa.

A TAPEÇARIA BURLADA

Por que o poeta disse e todos repetem "Verde que te quero verde"?, pensava Clô. Por que não dizer "Verde que te quero azul", ou "Roxo que te quero verde"?

Clô pensamenteava nisso porque estudava tapeçaria e desejava uma cor que fosse outra cor, por transparência, reflexo ou calculada ilusão visual. Clô brincava de tapeçaria, esta a verdade. Queria uma composição que fosse outra.

O anjo da guarda de Clô achou que não estava direito, e toda noite corrigia a trama, retificando as cores no seu devido padrão, e nada de modernices. Era um anjo acadêmico, meio rixoso.

Ela só percebeu a interferência do anjo porque, acordada, viu a hora em que ele alterava a tecedura de ponto grosso, impondo o desenho clássico, na cor devida. Furiosa, atirou-se ao anjo. Os dois travaram luta desigual, pois os braços dele eram deslizantes e ardentes, suas unhas luminosas tanto se cravavam na tapeçaria como nos braços de Clô.

A obra ficou destruída, e desde então a moça pensa em outras coisas.

A TERRA DO ÍNDIO

O índio, informado de que aquela era a Semana do Índio, esperava na oca a chegada de visitantes, que certamente iriam cumprimentá-lo e levar-lhe algumas utilidades como presente. Chegou foi um homem de papel na mão, convidando-o a mudar-se com presteza, pois a terra fora adquirida por uma empresa de reflorestamento, que estava com toda a documentação em ordem.

O índio objetou que naquele chão viveram seu pai, o pai de seu pai e todos os pais anteriores, juntamente com a tribo. E ele não tinha para onde ir.

O homem sugeriu-lhe que fosse trabalhar na construção do metrô do Rio de Janeiro, cuja empresa não alimenta discriminação contra índios. Era solução a curto prazo. A longo prazo, cogitava-se de criar a reserva indígena urbana de Jacarepaguá — a Indiamares —, financiada pelo BNH e controlada pela Riotur. Os índios teriam direito a INPS, férias e aposentadoria, apresentando-se em shows, como autônomos. Mas ali, não. Aquela terra tinha dono, com papel passado. Fim.

A VERDADE DIVIDIDA

A porta da verdade estava aberta
mas só deixava passar
meia pessoa de cada vez.

Assim não era possível atingir toda a verdade,
porque a meia pessoa que entrava
só conseguia o perfil de meia verdade.
E sua segunda metade
voltava igualmente com meio perfil.
E os meios perfis não coincidiam.

Arrebentaram a porta. Derrubaram a porta.
Chegaram ao lugar luminoso
onde a verdade esplendia os seus fogos.
Era dividida em duas metades
diferentes uma da outra.

Chegou-se a discutir qual a metade mais bela.
Nenhuma das duas era perfeitamente bela.
E era preciso optar. Cada um optou
conforme seu capricho, sua ilusão, sua miopia.

A VEZ DOS FERREIROS

Dentro do Partido Antissituação surgiu a ideia de se criar outro partido, que seria, digamos, o Partido dos Ferreiros, por serem os ferreiros, como se sabe, classe até agora sem representação política.

— Os ferreiros são o sustentáculo da nação. Sem eles não haveria o ferro trabalhado e convertido em inúmeros objetos da maior serventia, inclusive as ferraduras para cavalos, esses animais de que não podemos prescindir para as corridas de obstáculos e outras. Vamos fundar o Partido Ferreiral Copaibano — propôs um orador.

— Partido Ferreirista Copaibano é que deve ser — aparteou outro prócer, e saiu na disparada para registrar a sigla PFC, comum aos dois projetos.

O partidário do Ferreiral saiu-lhe na cola, e os dois chegaram ao local desejado com cinco minutos de diferença entre um e outro. O oficial de registros partidários, vendo ambos bem vestidos e com as mãos primorosamente limpas, indagou:

— Qual dos senhores é ferreiro?

Ao que responderam a *una voce*:

— E precisa?

Depois de anos de discussão, a Academia de Estocolmo, a Fundação Gulbenkian e o PEN Club Internacional, reunidos sob os auspícios da Unesco, obtiveram que esta proclamasse solenemente as 25 obras-primas de literatura de todos os séculos e povos, considerando-as patrimônio cultural da humanidade.

O escritor Elpídio Nosferatu não se conformou com esta resolução e empreendeu a batalha para ser excluído da relação o *Édipo rei*, de Sófocles, alegando ser suscetível de discussão a superioridade do seu autor sobre Ésquilo. No lugar, pleiteava a inclusão do seu romanpoensaio em três dimensões *O dodói de Abílio Terciomundista*, bem superior a toda a dramaturgia grega. Elpídio era visto simultaneamente na Europa e na América, debatendo com professores e críticos, concedendo entrevistas, expedindo telegramas, promovendo simpósios em favor de sua causa.

As instituições responsáveis pela relação de obras-primas recusaram-se a atendê-lo, mas ele foi incansável, para não dizer implacável, na postulação. Propôs-se a Abílio uma declaração subsidiária, que ele repeliu, declarando sua obra digna de menção honrosa. Pediu audiência ao papa, à Assembleia Geral da ONU, aos soberanos reinantes e presidentes de República em exercício.

A ideia de interná-lo deixou de consumar-se, por falta de apoio legal. Abílio formou uma legião de adeptos que clamavam por justiça, e houve encontros armados em torno de sua pessoa. Temendo a erupção de uma guerra literária, a somar-se às outras que flagelam a humanidade, a Unesco declarou sem efeito a relação de obras-mestras, mas ficou na mente do povo a ideia de que o *Dodói* era, não igual, mas superior a todas as vinte e cinco.

A VOLTA DAS CABEÇAS

Naquele país, os parlamentares funcionavam sem cabeça, e nem se davam conta disso. Os corpos moviam-se como se fossem dirigidos por uma central reflexiva e determinativa, no alto do pescoço, e tudo corria com normalidade — normalidade especial, não é preciso acrescentar.

Um dia, certo deputado reparou na falta de cabeça e sentiu-se constrangido. Já não fazia os gestos com a mesma perfeição, e experimentava o que se poderia chamar de dor de cabeça sem cabeça.

Convocou alguns colegas e mostrou-lhes que eles também precisavam recuperar o crânio perdido. Muita gente já observara o fenômeno e duvidava da legitimidade de representantes destituídos de parte do corpo tão importante como a cabeça.

Um dos colegas admitiu a lacuna de que padeciam todos, mas alvitrou que ela poderia ser corrigida com cabeças de papelão, que são mais leves.

— Nada disso — falou o que tivera a iniciativa da recolocação. — Temos de repor nossas cabeças verdadeiras.

Saíram à procura das ditas, e muitos não as encontraram. Outras tinham se convertido espontaneamente em cabeças de alfinete. Umas tantas conservavam-se intactas e foram correndo instalar-se nos pescoços de seus donos.

Mas o governo, prevenido daquele movimento, coçou a cabeça, meditou e decidiu:

— Isso é que não. Para recolocar a cabeça no lugar, precisa de autorização superior. E esta eu só dou lenta e gradualmente. Primeiro recoloque-se o queixo. Mais tarde a boca. Depois o nariz, olhos etc. Mas só um olho de cada vez. E uma só orelha também. O tampo fica para o fim. Com o correr dos dias vocês terão cabeças ótimas, até com ideias próprias.

A VOLTA DO GUERREIRO

Os homens que voltaram da guerra traziam feridas e pesadelos. Encontraram suas amadas indiferentes. Passara tanto tempo que algumas nem se lembravam deles, e muitas tinham estabelecido novos amores.

Uma, entretanto, permaneceu lembrada e fiel, e atirou-se com fúria passional aos braços do ex-guerreiro. Ele a repeliu dizendo:

— Não quero mais ver guerra diante de mim.

— Eu não sou a guerra, sou o amor, querido — respondeu a mulher, assustada.

— Você é a imagem da guerra, você me agarrou como o inimigo na luta corpo a corpo, eu não quero saber de você.

— Então farei carícias lentas e suaves.

— O inimigo também passa a mão de leve pelo corpo do soldado caído, para tirar o que houver no uniforme.

— Ficarei quieta, não farei nada.

— Não fazer nada é a atitude mais suspeita e mais perigosa do inimigo, que nos observa para nos atacar à traição.

Separaram-se para sempre.

BANDEIRA 2

O modesto servidor foi perguntar ao chefe de seção se não dava jeito de arranjar bandeira 2 para ele. Levou um fora total:

— Que negócio é esse de bandeira 2? Você não é chofer de táxi, o governo não é passageiro de táxi, como é que ele vai te pagar bandeira 2?

— É que eu pensei... Todo mundo lá fora está cobrando bandeira 2. A bandeirada está solta, e se eu não pegar também uma bandeirinha 2, com perdão da palavra, estou... frito.

— Dê o fora, que tenho essa papelada toda para despachar.

Saiu, desbandeirado. Em casa, os meninos pediram-lhe pelo menos bandeira 1, para tomar sorvete. A mulher reclamava bandeira 2, formato grande, para as compras da semana. Abriu o envelope e leu o cartão de Natal com estes dizeres: "Bandeira 2 para você e todos os seus". Ligou o rádio, escutou: "Salve, lindo pendão da esperança".

Os colegas se cotizaram para pagar a bandeira 2, encomendada por ele. Vivia enrolado nela, no Pinel.

BINÓCULOS

No apartamento fronteiro instalou-se há dias novo morador. Ele assesta o binóculo em minha direção. Percebendo que estava sendo observado, tirei da gaveta o meu binóculo e por minha vez pus-me a observá-lo.

Nossos olhares se cruzaram. Imóveis, cada um lia no rosto do outro alguma coisa que lhe interessava saber. Ou tentava lê-la, mas, sentindo ambos que eram objeto de curiosidade mútua, ele procurava disfarçar o que tivesse de revelável no rosto, e eu fazia o mesmo, de sorte que, quanto mais nos inspecionávamos pelo olhar, mais realmente nos desconhecíamos.

A contemplação simultânea durou não sei quantos minutos. Era ostensiva e ao mesmo tempo astuciosa, enganadora e denunciadora. Seríamos talvez (ou nos tornaríamos) dois inimigos, dois companheiros, dois irmãos, dois críticos implacáveis. Ele necessitava de mim, e eu dele, nessa procura do que nos faltava a ambos. Cheguei a pensar que fôssemos uma só pessoa, desdobrada e reunificada pelos binóculos. Nesse caso, estaria eu procurando ver no rosto alheio o meu verdadeiro rosto e, quem sabe, aquilo que meu rosto esconde de si mesmo. E, do outro lado da rua, meu rosto desdobrado fazia a mesma coisa.

Nisso caiu uma chuva forte, que embaciou as vidraças atrás das quais nos protegemos, e nossos binóculos e rostos tornaram-se praticamente liquefeitos, cessando a pesquisa.

Não tenho visto mais o novo morador, e não sei onde botei esse binóculo.

BOM TEMPO

Não há nada tão belo como os dias que medeiam entre o inverno e a primavera, observou Eugênio, que gostava de olhar o céu. Nós não temos propriamente inverno, e seria exagero dizer que temos primavera. Misturando estações, conseguimos fazer uma terceira, temperada, amável, com dias claros, termômetro benevolente, doçura.

Eugênio apreciava tanto esses dias intervalares que convidou parentes e amigos distantes a virem saborear com ele a delícia do tempo. Acudiram em bando, enchendo o pequeno apartamento. Nessa semana o elevador estava em reparo, o aquecedor de gás enguiçou, faltou luz, a empregada despediu-se, mas as noites eram frescas e os dias belíssimos. Eugênio achou que a natureza compensava bem os incômodos domiciliares. Os hóspedes, não.

Quando as coisas melhoraram no edifício, sobreveio um tempo de chuva e vento, que desaconselhava botar o pé na rua. Os hóspedes, não podendo sair de casa, e sentindo-se confortáveis, iniciaram um joguinho, de que Eugênio não participava. Negócio dele era o azul. "Você está empatando o nosso lazer", disseram-lhe. "Por que não vai passear?" Eugênio foi para a rua e apanhou a devida pneumonia, por muito amar o bom tempo.

BOM TEMPO, SEM TEMPO

Não chovia, meses a fio. Ou chovia demais. As plantas seca-
vam, os animais morriam, os moradores emigravam. As plantas submergiam, os animais morriam, as pessoas não tinham
tempo de emigrar. Assim era a vida naquele lugar privilegiado,
onde medrava tudo para todos, havendo bom tempo. Mas não
havia bom tempo. Havia o exagero dos elementos.

O mágico chegou para reorganizar a vida, e mandou que as
chuvas cessassem. Cessaram. Ordenou que a seca findasse. Fin-
dou. Sobreveio um tempo temperado, ameno, bom para tudo, e
os moradores estranharam. Assim também não é possível, diziam. Podemos fazer tantas coisas boas ao mesmo tempo que
não há tempo para fazê-las. Antes, quando estiava ou chovia um
pouco — isto é, no intervalo das grandes enchentes ou das grandes secas —, a gente aproveitava para fazer alguma coisa. Se o
sol abrasava, podíamos fugir. Se a água vinha em catadupa, os
que escapavam tinham o que contar. Quem voltasse do êxodo
vinha de alma nova. Quem sobrevivesse à enchente era proclamado herói. Mas agora, tudo normal, como aproveitar tantas
condições estupendas, se não temos capacidade para isto?

Queriam linchar o mágico, mas ele fugiu a toda.

CARTA EXTRAVIADA

Por que a sua carta ao ministro da Agricultura foi parar em Wagra, no emirado de Catar, de onde a devolveram a ele, remetente, com a declaração de que o destinatário era desconhecido, ou coisa que o valha? Evidente que não podiam conhecê-lo, pois o ministro despachava em Brasília. E o endereço estava bem claro. Ou antes, esteve. O envelope voltou tão cheio de anotações, riscos, caracteres indecifráveis, carimbos, pequenas etiquetas, que não se distinguia mais o que fora escrito inicialmente.

Ia reclamar do correio, mas lembrou-se que dois meses antes lera a notícia do assalto a um carro postal, de onde foram retiradas as malas. Certamente alguém tirara de uma delas a sua carta e divertira-se mandando-a para Catar. De que modo? Ora, viajara para lá, ou a dera a um portador, que a postou em Wagra.

Abriu o envelope, e qual não foi a sua surpresa ao deparar, não com a sua carta, mas com uma do ministro da Agricultura de Catar: "Meu caro senhor Filipe, considerei com a maior simpatia a sua proposta de venda de camelos para transportes de passageiros e cargas na região árida. Lamento não poder aceitá-la, pois já temos nosso sistema de transportes funcionando satisfatoriamente. No mais, venha visitar nossas ruínas fenícias".

CASAMENTO POR CINCO ANOS

Da ideia de prorrogar os mandatos populares defluiu a ideia de prorrogar o casamento de Bertoldo Seixas, cujo contrato matrimonial estipulava o prazo de cinco anos de vigência.

Não partiu de Bertoldo a iniciativa, mas de sua mulher Eufórbia, que alegou ser muito exíguo o período de cinco anos para se decifrar a verdadeira sociedade conjugal.

Bertoldo respondeu que contrato é contrato, e como tal deve ser cumprido, a menos que haja motivo justo para rescisão.

Como Eufórbia insistisse em seu ponto de vista, Bertoldo anuiu sem convicção, e prorrogou-se o casamento por prazo indeterminado, isto é, para a eternidade.

Ao fim de seis meses de prorrogação, a mulher sentiu o peso da eternidade e propôs o cancelamento da união. Bertoldo opôs-se, alegando mais uma vez que os contratos merecem ser cumpridos. Discutiram bastante, e acordaram afinal em dissolver o vínculo. Bertoldo e Eufórbia voltaram a casar-se por cinco anos improrrogáveis, mas com outra parceira e outro parceiro, respectivamente. Parece que são razoavelmente felizes.

CASOS DE BALEIAS

A baleia telegrafou ao superintendente da Pesca, queixando-se de que estava sendo caçada demais, e a continuar assim sua espécie desapareceria com prejuízo geral do meio ambiente e dos usuários.

O superintendente, em ofício, respondeu à baleia que não podia fazer nada senão recomendar que de duas baleias uma fosse poupada, e esta ganhasse número de registro para identificar-se. Em face dessa resolução, todas as baleias providenciaram registro, e o obtiveram pela maneira como se obtêm essas coisas, à margem dos regulamentos. O mar ficou coalhado de números, que rabeavam alegremente, e o esguicho dos cetáceos, formando verdadeiros festivais no alto oceano, dava ideia de imenso jardim explodindo em repuxos, dourados de sol, ou prateados de lua.

Um inspetor da Superintendência, intrigado com o fato de que ninguém mais conseguia caçar baleia, pôs-se a examinar os livros e verificou que havia infinidade de números repetidos. Cancelou-se o registro, e os funcionários responsáveis pela fraude, jogados ao mar, foram devorados pelas baleias, que passaram a ser caçadas indiscriminadamente. A recomendação internacional para suspender a caça por tempo indeterminado só alcançará duas baleias vivas, escondidas e fantasiadas de rochedo, no litoral do Espírito Santo.

COLEGUISMO

Dois assaltantes assaltaram-se mutuamente e foram separados por um terceiro assaltante, que exigiu deles o produto dos dois assaltos. Como eram dois contra um, acabaram subjugando o terceiro e reclamaram não só a devolução do que lhe haviam cedido como ainda o que ele já trazia no bolso.

Foram atendidos, mas continuou a pendência, pois o assaltante nº 1 queria de volta o que perdera e o que ganhara, o nº 2 pretendia o mesmo, e o nº 3 tentou acalmá-los, ao mesmo tempo que pleiteava a devolução do seu e mais cinquenta por cento do que pertencia a cada. Esclareceu que, desistindo do total, contribuía para a união e harmonia da classe.

Os outros não se mostraram persuadidos e, à falta de tribunal especializado que dirimisse a questão, acordaram em submetê-la ao julgamento de um passante que, pelo aspecto, merecesse fé. O senhor bem vestido, de roupa escura, que se aproximou e ouviu a exposição do caso, abanou a cabeça lamentando:

— Não posso decidir contra colegas. Também sou assaltante.

E deu no pé, antes que os três lhe reclamassem o dele.

CONVERSA DE CORRELIGIONÁRIOS

— Eu sou pela eleição direta, e você?

— Eu também, claro. Está duvidando de mim?

— Ótimo. Então conto com o seu voto para aprovação do meu projeto que restabelece a eleição direta.

— Ah, com o meu voto você não conta não.

— Mas se você é pela eleição direta, por que vai votar contra a eleição direta?

— Perdão. Vou votar contra o projeto, não contra a eleição direta.

— É a mesma coisa.

— Não é a mesma coisa. Projeto é projeto, eleição é eleição.

— Então você é a favor e contra ao mesmo tempo. Ou por outra: é a favor do contra, ou contra o a favor.

— Você não entende nada de nada. Ser a favor não significa votar a favor. Significa ser, e ser não é votar, como votar não é ser. Votar é ato exterior, de gesto ou de boca. Ser é muito mais profundo, mais intenso, mais... Sinto uma tal felicidade sendo a favor da eleição direta que não quero comprometer esse estado de espírito radiante com uma providência de ordem convencional, ato vulgar e contingente. Como se as minhas ideias precisassem de votação! Você está questionando a pureza das minhas ideias, isso eu não admito!

CONVÍVIO

O aparecimento de objetos voadores não identificados, nos arredores de Rutilândia, tornou-se tão frequente que o semanário *A Razão Prática* passou a chamá-los de objetos voadores identificados. Tinham a mesma configuração, distinguindo-se uns dos outros apenas por sinais diferentes, gravados na fuselagem. Seus tripulantes entendiam-se normalmente com os moradores, não hesitando em solicitar-lhes pequenos serviços: copo d'água, comprimido para dor de cabeça. Ofereciam pequenas lembranças, como chaveiros e mesmo chaves, de matéria maleável, que serviam para toda espécie de fechaduras, mas advertindo que deviam ser usadas de brincadeira.

No fim de alguns meses de convivência pacífica, um dos tripulantes casou-se com a filha do prefeito, embora os companheiros o advertissem de que não podia residir em Rutilândia, pois deviam todos regressar ao lugar de origem. Ele respondeu que preferia ficar por ali mesmo, uma vez que sua mulher enjoava no interior do disco. "Mas você faltará ao dever deixando de voltar conosco" — retorquiram. Ele respondeu: "Que é o dever, depois de ser cumprido por muito tempo? O dever é uma chateação". O prefeito ficou do seu lado, oferecendo cobertura para o caso de quererem levá-lo à força. Em Rutilândia há duas crianças encantadoras, filhas de uma jovem da sociedade local e de ex-tripulante de objeto voador identificado. Mas receia-se a todo momento que sejam raptadas.

CRIME E CASTIGO

Interrogado pelo comissário, jurou inocência. Inquirido pelo delegado, voltou a jurar. Não acreditaram. Foi indiciado, pronunciado, julgado, condenado. Sempre gritando que estava inocente.

No fim de cinco anos de prisão, acabou convencido de que era mesmo culpado. Pediu que o julgassem novamente, para agravamento de pena. Em vez disto, soltaram-no porque findara a pena.

Saiu confuso, já não tinha certeza se era culpado ou inocente, ou as duas coisas ao mesmo tempo. Como toda gente.

DESEMPREGO

— Não está me reconhecendo? Sou a terceira mulher do sabonete Araxá. Aquelas do anúncio.

— Eu sei. As três mulheres do poema de Manuel Bandeira.

— Não, do anúncio do sabonete. O poema veio depois, nós já existíamos antes.

— E que foi feito das duas outras?

— A primeira passou a trabalhar para a Sentinela Juropapo. A segunda está no galarim, só trabalha para a Secom. Eu estou desempregada, não dá para me arranjar uma boa mordomia no INPS? Sei que é difícil me aposentar, porque já tenho idade de sobra, mas...

— Por que Demétrio não se casa? Era indagação geral. Demétrio namorava, noivava, não casava. Sete dias antes do casamento, olha aí Demétrio fugindo. As versões eram múltiplas. A noiva é que o despedira. Tiveram uma briga feia. Gênios incompatíveis. Mal secreto. Intrigas.

Demétrio continuava a namorar, noivar e não casar. Não lhe faltavam noivas, pois era agradável, tinha status. Quanto mais se desmanchavam os projetos de casamento, mais apareciam mulheres dispostas ao desafio, exclamando:

— A mim ele não deixa na porta do mosteiro de São Bento.

Deixava. E quanto mais deixava, mais seu prestígio crescia. Concluiu-se que era sua maneira de afirmar-se.

Então Livaniuska decidiu enfrentá-lo. Noivou com ele e, uma semana antes do casamento, deu-lhe um fora solene. Demétrio quis reagir, explicou à repórter social que ele é que tomara a iniciativa, mas a mentira foi patente. Livaniuska foi contratada como atriz por uma emissora de tv e ficou célebre.

Daí por diante ela repetiu a carreira de Demétrio, noivando e desmanchando com inúmeros cavalheiros. No fim de cinco anos, Livaniuska e Demétrio casaram-se para sempre, como era fácil de prever mas ninguém previu.

DEUS QUER OTIMISMO

Procópio acordava cedinho, abria a janela, exclamava:

— Que dia maravilhoso! O dia mais belo da minha vida!

Às vezes, realmente, a manhã estava lindíssima, porém outras vezes a natureza mostrava-se carrancuda. Procópio nem reparava. Sua exclamação podia variar de forma, conservando a essência:

— Estupendo! Sol glorioso! Delícia de vida!

Choveu o mês inteiro e Procópio saudou as trinta e uma cordas-d'água com a jovialidade de sempre. Para ele não havia mau tempo.

A família protestava contra a sua disposição fagueira e inalterável. A população erguia preces ao Senhor, rogando que parasse com o dilúvio. Um dia Procópio abriu a janela e foi levado pelas águas. Ia exclamando:

— Sublime! Agora é que sinto realmente a beleza do bom tempo integral! O azul é de Sèvres! Chove ouro líquido! Sou feliz!

Os outros, que não acreditavam nisto, submergiram, mas Procópio foi depositado na crista de um pico mais alto que o da Neblina, onde faz sol para sempre. Merecia.

DIÁLOGO DAS NOTAS

A nota de cinco mil cruzeiros estava preocupada. Anunciaram para breve a sua entrada em circulação, e já passavam muitos sóis sem que a retirassem do almoxarifado. No almoxarifado, chega-lhe o zum-zum de que continuamente as coisas sobem de preço e as notas baixam de valor. Embora os algarismos continuem os mesmos, cada dia significam uma realidade menor. Quando chegar minha vez de andar por aí — receia a nota de cinco mil — quanto valerão meus cinco mil?

Ao ser desenhada, sentira-se toda garbosa, cheia de minhocas na cabeça. Iria suplantar as coleguinhas, dando a vera ideia de grandeza. Mas até agora nada, e a nota inquieta-se:

— Quando vejo o cruzeiro metálico passar do tamanho de medalha de chocolate ao de botão de manga de camisa (e amanhã ele chegará talvez a semente de tangerina), sinto que meu futuro não será nada fagueiro. Vão-me reduzir às proporções de ficha de ônibus, feita de papel, e servirei para pagar a passagem de um coletivo circular. No máximo.

Estava nessa tristeza quando lhe apareceu, ainda em forma de neblina futura, o projeto da nota de cinco milhões, com efígie de cabeça para baixo, e sussurrou-lhe:

— Maninha, depois de mim virá a cédula de cinco trilhões, e assim sucessivamente, pois infinito é o número dos números. Até que um dia o homem se cansará de escrever no papel grandezas que são insignificâncias, e passará a escrever insignificâncias que valham grandezas. Já pressinto no horizonte maravilhosa nota zero, que nos resumirá a todas e alcançará o máximo valor metafísico.

DIÁLOGO DE TODO DIA

— Alô, quem fala?

— Ninguém. Quem fala é você que está perguntando quem fala.

— Mas eu preciso saber com quem estou falando.

— E eu preciso saber antes a quem estou respondendo.

— Assim não dá. Me faz o obséquio de dizer quem fala?

— Todo mundo fala, meu amigo, desde que não seja mudo.

— Isso eu sei, não precisava me dizer como novidade. Eu queria saber é quem está no aparelho.

— Ah, sim. No aparelho não está ninguém.

— Como não está, se você está me respondendo?

— Eu estou fora do aparelho. Dentro do aparelho não cabe ninguém.

— Engraçadinho. Então, quem está fora do aparelho?

— Agora melhorou. Estou eu, para servi-lo.

— Não parece. Se fosse para me servir, já teria dito quem está falando.

— Bem, nós dois estamos falando. Eu de cá, você de lá. E um não conhece o outro.

— Se eu conhecesse não estava perguntando.

— Você é muito perguntador. Note que eu não lhe perguntei nada.

— Nem tinha que perguntar. Pois se fui eu que telefonei.

— Não perguntei nem vou perguntar. Não estou interessado em conhecer outras pessoas.

— Mas podia estar interessado pelo menos em responder a quem telefonou.

— Estou respondendo.

— Pela última vez, cavalheiro, e em nome de Deus: quem fala?

— Pela última vez, e em nome da segurança, por que eu sou obrigado a dar esta informação a um desconhecido?

— Bolas!

— Bolas digo eu. Bolas e carambolas. Por acaso você não pode dizer com quem deseja falar, para eu lhe responder se essa pessoa está ou não aqui, mora ou não mora neste endereço? Vamos, diga de uma vez por todas: com quem deseja falar?

Silêncio.

— Vamos, diga: com quem deseja falar?

— Desculpe, a confusão é tanta que eu nem sei mais. Esqueci. Chau.

DIÁLOGO FILOSÓFICO

— As coisas não são o que são, mas também não são o que não são — disse o professor suíço ao estudante brasileiro.

— Então, que são as coisas? — inquiriu o estudante.

— As coisas simplesmente não.

— Sem verbo?

— Claro que sem verbo. O verbo não é coisa.

— E que quer dizer coisas não?

— Quer dizer o não das coisas, se você for suficientemente atilado para percebê-lo.

— Então as coisas não têm um sim?

— O sim das coisas é o não. E o não é sem coisa. Portanto, coisa e não são a mesma coisa, ou o mesmo não.

O professor tirou do bolso uma não barra de chocolate e comeu um pedacinho, sem oferecer outro ao aluno, porque o chocolate era não.

DIÁLOGO FINAL

— É tudo que tem a me dizer? — perguntou ele.

— É — respondeu ela.

— Você disse tão pouco.

— Disse o que tinha para dizer.

— Sempre se pode dizer mais alguma coisa.

— Que coisa?

— Sei lá. Alguma coisa.

— Você queria que eu repetisse?

— Não. Queria outra coisa.

— Que coisa é outra coisa?

— Não sei. Você que devia saber.

— Por que eu devia saber o que você não sabe?

— Qualquer pessoa sabe mais alguma coisa que outro não sabe.

— Eu só sei o que eu sei.

— Então não vai mesmo me dizer mais nada?

— Mais nada.

— Se você quisesse...

— Quisesse o quê?

— Dizer o que você não tem para me dizer. Dizer o que não sabe, o que eu queria ouvir de você. Em amor é o que há de mais importante: o que a gente não sabe.

— Mas tudo acabou entre nós.

— Pois isso é o mais importante de tudo: o que acabou. Você não me diz mais nada sobre o que acabou? Seria uma forma de continuarmos.

DUAS SOMBRAS

Por que Meneses tinha duas sombras em vez de uma, como toda gente? Ele não sabia nem se importava com isto.

Há casos de pessoas que perderam a sombra e lutaram por trazê-la de volta, mas o fenômeno de duas sombras iguais era totalmente inédito. A cidade interessou-se a princípio; acabou se acostumando e mesmo tirando partido. Meneses era a única atração turística de um lugar pobre de paisagem e de prazeres.

— Já que me tornei polo turístico — disse ele — devo tirar proveito desta condição. A prefeitura tem de me pagar uma quantia mensal.

O prefeito coçou a cabeça. Pagar a um indivíduo por ter sombra dupla? Não estava certo. Por outro lado, viajantes começaram a chegar de estados vizinhos e até do exterior. Dinheiro chovendo.

Meneses trancou-se em casa e, atrás da porta, negociou, com a autoridade, participação na renda. Ou isto, ou se mudava para longe.

Esta foi a origem da Taxa das Duas Sombras, que vigorou até a morte de Meneses, rico e afamado. Só que, nos últimos tempos, uma das sombras diminuíra de tamanho, e um vereador da oposição propôs que lhe fosse cassada a sinecura. Mas uma sombra e meia era nova atração, e a proposta foi rejeitada.

ELEMENTOS DE UM CONTO

Itaorna. Pedra Podre. A primeira usina nuclear brasileira ergue suas linhas na praia. O reator fica a trezentos metros da estrada Rio-Santos. O mar, os viajantes, o urânio, o futuro. Por que o índio deu esse nome ao lugar?

Em Itaorna um conto está sendo elaborado, mas contista nenhum é capaz de prever-lhe o desfecho.

ENCONTRO

O personagem de Lúcio Cardoso hospedou por algumas semanas o personagem de Cornélio Pena. Nunca se viam, porque um dormia pela madrugada e o outro ao anoitecer. Não se encontravam à mesa, mas ambos diziam "bom dia", sozinhos, referindo-se ao companheiro.

O personagem de Guimarães Rosa, encontrando aberta a porta da casa, entrou, não viu ninguém, deu tiros para o alto. Um buriti cresceu na sala de jantar, a vereda fluiu suas águas. Os personagens de Lúcio e de Cornélio acudiram ao mesmo tempo, surpresos. Ouviu-se a viola de Miguelão entoar modinhas do Urucuia. Todos beberam muito, e a noite acabou em antologia mineira, com ilustrações de Poty.

ENTRE FLORES

As flores estavam inquietas porque o arquiteto-paisagista havia projetado uma flor diferente de todas as existentes. O projeto fora encaminhado à comissão de notáveis, que deu parecer sugerindo a adoção da nova flor como a primeira do país e seu símbolo oficial.

"Com uma flor diferente de nós todas e erigida em marca nacional — murmuravam a um só tempo os crisântemos, as dálias, os cravos e muitas outras espécies, inclusive a flor de fedegoso, que pelo nome não era muito apreciada — institui-se discriminação no reino vegetal. Além do que, flor sintética não é flor que se cheire."

A rosa não quis opinar, porque ainda conserva ilusões de rainha. Uma deputação de flores procurou o arquiteto-paisagista, que se recusou a recebê-la, mandando dizer que estava muito ocupado. Seguiu-se a greve floral durante 45 dias, em que ninguém mandava flores ou tinha condições de colhê-las, pois todas passaram a ter espinhos, e algumas, cheiro de enxofre.

Mesmo assim, a flor de proveta foi institucionalizada, e muitas variedades, como a cinerária, o lírio-amarelo e o jacinto, que antes formavam no coro das reclamantes, levaram-lhe cumprimentos no dia de sua glorificação. Os espinhos e o mau odor desapareceram, e até a rosa lhe mandou telegrama de parabéns e votos de eterno florescimento.

EPISÓDIO VENEZIANO

A duquesa de Arrivabene apaixonou-se por um gondoleiro de Veneza e, para não deixá-lo um só momento, acompanhava-o no trabalho. Frequentemente manejava o remo, deixando a cabeça do namorado repousar em seu colo alabastrino. Era ciumenta a duquesa, e Paolo tinha de recusar passageiras cujo sorriso parecia demasiado promissor. Com o tempo, nem mais os homens eram admitidos na gôndola, que vogava ao sabor do capricho feminino, entre beijos que se diria capazes de inflamar a água do canal.

Paolo, exausto, quis fugir, mas sua amante ameaçou afundar com ele e com a embarcação, em derradeiro enlace amoroso.

A gôndola envelheceu, os dois também. Se já não se amavam como antigamente, é porque tinham chegado a formar uma só individualidade, meio carne meio madeira. Um dia o barco afundou, levando consigo os dois amantes, não se sabe se ainda vivos ou mumificados. Desde então os gondoleiros temem o amor das duquesas e preferem não transportá-las, pretextando que a gôndola está com defeito.

ESSAS MENINAS

As alegres meninas que passam na rua, com suas pastas escolares, às vezes com seus namorados. As alegres meninas que estão sempre rindo, comentando o besouro que entrou na classe e pousou no vestido da professora; essas meninas; essas coisas sem importância.

O uniforme as despersonaliza, mas o riso de cada uma as diferencia. Riem alto, riem musical, riem desafinado, riem sem motivo; riem.

Hoje de manhã estavam sérias, era como se nunca mais voltassem a rir e falar coisas sem importância. Faltava uma delas. O jornal dera notícia do crime. O corpo da menina encontrado naquelas condições, em lugar ermo. A selvageria de um tempo que não deixa mais rir.

As alegres meninas, agora sérias, tornaram-se adultas de uma hora para outra; essas mulheres.

EXCESSO DE COMPANHIA

Os anjos cercavam Marilda, um de cada lado, porque Marilda ao nascer ganhou dois anjos da guarda.

Em vez de ajudar, atrapalhou. Um anjo queria levar Marilda a festas, o outro à natureza. Brigavam entre si, e a moça não sabia a qual deles obedecer. Queria agradar aos dois, e acabava se indispondo com ambos.

Tocou-os de casa. Ficou sozinha, sem apoio espiritual mas também sem confusão. Os dois vieram procurá-la, arrependidos, pedindo desculpas.

— Só aceito um de cada vez. Passa uns tempos comigo, depois mando embora, e o outro fica no lugar. Dois anjos ao mesmo tempo é demais.

Agora Marilda é o anjo da guarda dos seus anjos, um de cada vez.

EXPERIÊNCIA

O arcipreste era temente a Deus, e pouco se lhe dava do Diabo. Achava que, no máximo, o Diabo é estampa de natureza folclórica. A fé em Deus bastava ao arcipreste em todos os lances da vida, entre eles o de atravessar a rua de subúrbio onde morava. Nenhuma carreta ousava atropelá-lo, nem policial munido de bastão de gás paralisante e cassetete eletrificado se lembraria de deter-lhe os passos.

Contudo, a ciclista ruiva o derrubou de maneira tão sutil que ele só percebeu o incidente ao se ver cercado de curiosos. Aparentemente, não se machucara. Dor nenhuma. Tentou levantar-se, não pôde. A mulher sumira. Tiveram de carregá-lo até o hospital mais próximo, onde ficou acamado três meses. Iam dar-lhe alta quando recebeu a visita de uma estranha senhora de olhos gateados e cabelos ruivos, que lhe levou um ramo de flores e, sorrindo, lhe disse:

— Daqui por diante o senhor pode continuar duvidando da existência dele, mas já tem motivo para acreditar pelo menos na existência da mulher dele.

O arcipreste nunca mais foi o mesmo. Claudicava da perna esquerda, e fazia coisas sem sentido.

FUGIR DO CARNAVAL

No Carnaval, ou se brinca ou se foge para onde ninguém fala em Carnaval.

Este lugar existe? Minimiano achava que sim, e procurou-o em praia longínqua, onde deparou com o banhista fantasiado de pote. Rumou para a mata na montanha, e lá viu uma cenoura sambando, com jeito indubitável de mulher.

Minimiano fretou um helicóptero para passar o maior tempo possível afastado da folia. No alto, o piloto pediu-lhe licença para mascarar-se de sagui-caratinga. "Só a máscara, o resto do corpo não. O senhor não vai se incomodar, né?"

Minimiano ia dizer que sim, que se incomodava e muito, mas a cara do piloto era tão suplicante que ele respondeu:

— Claro que não. Você não tem aí outra máscara para mim?

FURTO DE FLOR

Furtei uma flor daquele jardim. O porteiro do edifício cochilava, e eu furtei a flor.

Trouxe-a para casa e coloquei-a no copo com água. Logo senti que ela não estava feliz. O copo destina-se a beber, e flor não é para ser bebida.

Passei-a para o vaso, e notei que ela me agradecia, revelando melhor sua delicada composição. Quantas novidades há numa flor, se a contemplarmos bem.

Sendo autor do furto, eu assumira a obrigação de conservá-la. Renovei a água do vaso, mas a flor empalidecia. Temi por sua vida. Não adiantava restituí-la ao jardim. Nem apelar para o médico de flores. Eu a furtara, eu a via morrer.

Já murcha, e com a cor particular da morte, peguei-a docemente e fui depositá-la no jardim onde desabrochara. O porteiro estava atento e repreendeu-me:

— Que ideia a sua, vir jogar lixo de sua casa neste jardim!

GARBO E MARLENE

Greta Garbo me escreveu na semana passada, perguntando se a esqueci. Isto porque todos os anos lhe mando um cartão de Natal, que ela agradece com outro, e assim temos mantido acesa a minúscula mas duradoura chama da nossa perene amizade. Dezembro último, a Garbo não recebeu a minha mensagem. Esperou-a até maio, supondo que se houvesse extraviado, e que o correio, finalmente, a fizesse chegar às suas mãos. A verdade é que não faltei a essa grata obrigação, mas, não sei por que, em vez de botar no envelope o nome e endereço da minha amiga, escrevi os de Marlene Dietrich, que jamais conheci na vida, a não ser em filme, e cujo endereço figurava numa revista sobre a mesa.

Marlene devolveu-me o cartão (em que figurava o nome de Garbo) sem qualquer comentário. E eu, encabuladíssimo, não tive ânimo de encaminhá-lo à verdadeira destinatária, transcorridos meses.

Venho meditando sobre a troca, sem chegar a conclusão alguma. Terei pretendido, subconscientemente, ofender Marlene, revelando-lhe minha preferência pela Garbo? Seria de mau gosto. Estaria, no fundo da minha admiração, substituindo uma por outra? Não posso acreditar. Dar-se-á que procurei fundir as duas estrelas num corpo único, juntando naturezas tão diversas? Van Jafa, que já morreu, poderia ajudar-me a destrinçar o enigma.

GÊMEOS

Paulo nasceu gêmeo, embora sua mãe só houvesse dado à luz um filho. São dessas coisas da vida. Paulo sentia-se profunda, visceralmente gêmeo e, por falta de irmão visível, considerava-se gêmeo de si mesmo. Os pais achavam estranha essa conduta e esforçavam-se por dar um irmão a Paulo. Não veio. Adotaram um menino. Paulo não quis tomar conhecimento dele. Especialistas norte-americanos foram consultados, e a todos Paulo respondia, convicto:

— Sou gêmeo, e daí?

Tratava-se a si mesmo como dois, convidava o irmão para passear, estudavam juntos, brigavam, faziam pazes, tinham duas namoradas distintas, que não compreendiam nada, e às vezes trocavam de Paulo para Paulo. Que diferença fazia?

Um dia Paulo decidiu separar-se do outro. Gêmeos se cansam. A separação foi dolorosa, com arrependimento, reconciliação, novos conflitos. Os dois que havia em Paulo já não se entendiam mesmo. E Paulo teve uma ideia sinistra: eliminar o outro. Logo se arrependeu e preferiu eliminar só a si próprio. O outro não deixou. Paulo chorou, emocionado. O outro era tão melhor do que ele!

— Nem tanto — confessou o outro. — Se você se matar, eu fico sem existência possível, isso não me convém. Sejamos egoístas, Paulo.

— Mas ficou tão chata essa vida a dois.

— Tenho uma ideia. E se nos tornarmos trigêmeos? Assim a conversa fica mais variada.

GOVERNAR

Os garotos da rua resolveram brincar de governo, escolheram o presidente e pediram-lhe que governasse para o bem de todos.

— Pois não — aceitou Martim. — Daqui por diante vocês farão meus exercícios escolares e eu assino. Clóvis e mais dois de vocês formarão a minha segurança. Januário será meu ministro da Fazenda e pagará o meu lanche.

— Com que dinheiro? — atalhou Januário.

— Cada um de vocês contribuirá com um cruzeiro por dia para a caixinha do governo.

— E que é que nós lucramos com isso? — perguntaram em coro.

— Lucram a certeza de que têm um bom presidente. Eu separo as brigas, distribuo tarefas, trato de igual para igual com os professores. Vocês obedecem, democraticamente.

— Assim não vale. O presidente deve ser nosso servidor, ou pelo menos saber que todos somos iguais a ele. Queremos vantagens.

— Eu sou o presidente e não posso ser igual a vocês, que são presididos. Se exigirem coisas de mim, serão multados e perderão o direito de participar da minha comitiva nas festas. Pensam que ser presidente é moleza? Já estou sentindo como este cargo é cheio de espinhos.

Foi deposto, e dissolvida a República.

HISTÓRIA MAL CONTADA

A história de Chapeuzinho Vermelho sempre me pareceu mal contada, e não há esperança de se conhecer exatamente o que se passou entre ela, a avozinha e o lobo.

Começa que Chapeuzinho jamais chegaria depois do lobo à choupana da avozinha. Ela vencera na escola o campeonato infantil de corrida a pé, e normalmente não andava a passo, mas com ligeireza de lebre. Por sua vez, o lobo se queixava de dores reumáticas, e foi isto, justamente, que fez Chapeuzinho condoer-se dele.

Estes são pormenores da versão da história, ouvida por tia Nicota, no começo do século, em Macaé. Segundo ali se dizia, Chapeuzinho e o lobo fizeram boa liga e resolveram casar-se. Ela estava persuadida de que o lobo era um príncipe encantado, e que o casamento o faria voltar ao estado natural. Seriam felizes, teriam gêmeos. A avozinha opôs-se ao enlace, e houve na choupana uma cena desagradável entre os três. O lobo não era absolutamente príncipe, e Chapeuzinho, unindo-se a ele, transformou-se em loba perfeita, que há tempos ainda uivava à noite, nas cercanias de Macaé.

HISTÓRIAS PARA O REI

Nunca podia imaginar que fosse tão agradável a função de contar histórias, para a qual fui nomeado por decreto do rei. A nomeação colheu-me de surpresa, pois jamais exercitara dotes de imaginação, e até me exprimo com certa dificuldade verbal. Mas bastou que o rei confiasse em mim para que as histórias me jorrassem da boca à maneira de água corrente. Nem carecia inventá-las. Inventavam-se a si mesmas.

Este prazer durou seis meses. Um dia, a rainha foi falar ao rei que eu estava exagerando. Contava tantas histórias que não havia tempo para apreciá-las, e mesmo para ouvi-las. O rei, que julgava minha facúndia uma qualidade, passou a considerá-la defeito, e ordenou que eu só contasse meia história por dia, e descansasse aos domingos. Fiquei triste, pois não sabia inventar meia história. Minha insuficiência desagradou, e fui substituído por um mudo, que narra por meio de sinais, e arranca os maiores aplausos.

IDÍLIO FUNESTO

A maior tristeza de Gregório era não entender a língua dos sapos brasileiros, que ele sabia ser muito rica em expressões idiomáticas, e particularmente aberta a efusões amorosas. "Se eu aprendesse um pouco das finezas da língua deles", lastimava-se, "seria o mais afortunado dos amantes, além de brilhar em tertúlias, pelo pitoresco de minha conversa. Mas dos sapos sei quase nada, e as mulheres não parecem dispostas a conceder-me seus favores por esse mínimo que adquiri passando noites em claro à margem do brejo."

Um sapo condoeu-se de sua ignorância específica, e prometeu dar-lhe aulas intensivas por duas semanas, findas as quais Gregório se tornaria conversador cintilante e conquistador irresistível.

Mas o sapo não nascera para professor, e tudo se turvou na cabeça do aluno, que aprendeu apenas a coaxar, sem modulação nem sintaxe. Ganhou apelido de "Sapinho" porque era de porte reduzido. Renunciou à convivência humana e foi morar em frente ao brejo. Numa noite de luar, uma rã escutou sua algaravia, apaixonou-se por ele, e foram viver juntos. Os sapos, indignados, mataram-no. A rã admite que fez mal em se deixar seduzir por erros de linguagem: imaginara estar ouvindo um português mavioso.

INCÊNDIO

Nunca pude entender a conversação que tive com uma senhora, há muitos anos... Este começo, evidentemente, não é meu, mas de autor célebre, o que não impede que podia ser de toda gente. Há sempre uma pessoa que nunca pôde entender a conversação que teve com uma senhora, há muitos anos. As mulheres costumam ter conversas estranhas, que só entendemos pela metade, ou nada, se não for em dobro, o que é outra forma de engano.

No meu caso, ela telefonou pedindo que fosse correndo apagar um incêndio em sua rua; saltei da cama, nem sei se calcei os chinelos, e voei para o lugar indicado. Apesar de noite alta, o trânsito estava engarrafado, devia haver uma festa importante, homenagem a rei ou presidente estrangeiro, imagino. Fiz tudo para chegar o mais depressa possível, e ao chegar não localizei o incêndio. É mais adiante, disse a mulher, do alto do nono andar. Onde? Mais, mais adiante. E apontava com o braço na direção do infinito.

Mas a rua não acaba nesta quadra?, perguntei. Não. A rua continuava indefinidamente, e o dedo apontado, e eu sem saber, e ela pedindo urgência, dizendo que o fogo lavrava sempre. Realmente, nunca pude entender.

LAVADEIRAS DE MOÇORÓ

As lavadeiras de Moçoró, cada uma tem sua pedra no rio; cada pedra é herança de família, passando de mãe a filha, de filha a neta, como vão passando as águas no tempo. As pedras têm um polimento que revela a ação de muitos dias e muitas lavadeiras. Servem de espelho a suas donas. E suas formas diferentes também correspondem de certo modo à figura física de quem as usa. Umas são arredondadas e cheias, aquelas magras e angulosas, e todas têm ar próprio, que não se presta à confusão.

A lavadeira e a pedra formam um ente especial, que se divide e se unifica ao sabor do trabalho. Se a mulher entoa uma canção, percebe-se que a pedra a acompanha em surdina. Outras vezes, parece que o canto murmurante vem da pedra, e a lavadeira lhe dá volume e desenvolvimento.

Na pobreza natural das lavadeiras, as pedras são uma fortuna, joias que elas não precisam levar para casa. Ninguém as rouba, nem elas, de tão fiéis, se deixariam seduzir por estranhos.

Entre as lavadeiras de Moçoró, Luzia se destaca. Sua pele é de ébano polido, reluzente, e dizem que roupa lavada por suas mãos, não há brancura que a suplante em todo o Norte. A pedra que Luzia recebeu de sua mãe, e esta de sua avó, faria inveja às outras lavadeiras, de tão grande e listrada de veios de cor, se Luzia não fosse tão boa colega. Frequentemente cede a sua pedra à vizinha que namora com os olhos uma coisa tão importante e boa de nela se bater roupa. Enquanto isso, Luzia afasta-se, fica pensando no marinheiro de Santos.

Por que marinheiro, por que de Santos? Porque sua sina é casar-se com ele, segundo anuncia o sinal escrito na pedra. Luzia nunca saiu de Moçoró, e de marinheiros em geral tem escassa notícia. Mas Rufino a espera em Santos, é a pedra que o diz, lida e interpretada pela comadre de Luzia, que sabe a lição das coisas e nunca errou nos vaticínios.

Lá vai Luzia a caminho de Santos, as colegas choram ao apitar o vapor, Luzia tem lágrimas nos olhos empapuçados e vermelhos. Na pedra ninguém tocará, é a pedra de Luzia, encantada. Salvo se a comadre descobrir nela novo destino.

A chuva de leite caiu sobre o cocho onde os porcos se alimentavam. Eles nunca tinham visto aquilo. Fartaram-se de beber. Já saciados, divertiam-se tomando banho de leite.

— Como Cleópatra ou Claudette Colbert — observou o filho do fazendeiro que viera da cidade e era cineasta. — Vou filmar esta cena.

Os porcos não sabiam que estavam copiando exemplos célebres, e a brincadeira se repetia indefinidamente. Até que enjoaram do alimento e do passatempo. O mais velho foi expor o assunto ao fazendeiro.

— Muito obrigado pela temporada de leite, mas agora chega. Como faz um calor dos diabos, o senhor não podia oferecer à gente uma chuva de refrigerantes?

O fazendeiro respondeu:

— Eu não produzo refrigerante, produzo leite, quer dizer, as vacas produzem para mim. Se vocês o recusarem, me criam um sério problema. As usinas de laticínios também não o querem. Alegam que só aceitam se o governador financiar a estocagem, porque as vacas estão doidas varridas, não param de produzir leite. Sejam compreensivos, não me obriguem a jogar todo esse leite fora.

LIBERDADE

Era um quilombo feliz, o do Buraco do Tatu, na Bahia. Bem organizado, bem defendido, formava uma República bastante democrática. As forças do capitão-mor o atacaram e houve grande matança. Entre os atacantes mais aguerridos estava o índio Içuê, que tinha esse nome por ser esbelto e alto como palmeira. O preto Guesô, chefe militar dos quilombolas, não queria acreditar em seus próprios olhos:

— Mas você, índio escravizado pelos brancos, atacando negros que não querem ser escravos? Você, amigo velho, que vinha ao quilombo comer e beber com a gente?

Içuê baixou a cabeça, explicou. Ajudando a destruir o Buraco do Tatu, teria como prêmio a liberdade e iria com outros companheiros formar o seu quilombo indígena, pois também amava a independência. Quanto a Guesô, podia esperar. A liberdade devia ser instaurada por ordem de precedência: primeiro, os que já ocupavam a terra, em seguida os que chegaram depois, da África. O amigo não levasse a mal. O ideal era o mesmo.

LINGUAGEM DO ÊXTASE

Era uma lua tão pura que convidava à serenata, a menos que fosse a serenata que, de tão divina, chamasse a lua. Luar e serenata combinavam-se deliciosamente, mas de súbito Zeca Heliodoro depôs o violão na calçada e desfechou três tiros no ar.

Zeca era pacífico e não bebera. Os companheiros ficaram atônitos, várias janelas se abriram assustadas, e a voz do prefeito ressoou na noite:

— Se querem me depor, estão muito enganados! Exercerei meu mandato até o término legal!

E passando da palavra à ação, o prefeito descarregou seu revólver a esmo, pondo em fuga precipitada todos os seresteiros.

Menos Zeca, imóvel na praça, inatingido pelos disparos e tentando explicar, não ao prefeito, mas à sua filha Zulmira (invisível) que a música era insuficiente para exprimir seu êxtase diante da jovem e que, em certos momentos do coração, três tiros no ar valem por uma salva de amor.

MÃE SEM DIA

As mães que já o eram antes de ser instituído o Dia das Mães não se importam muito com ele, e até dispensam homenagens sob esse pretexto. Mas as que cumpriram a maternidade após a sua criação pensam de outro modo, e amam a data.

Edwiges, mãe recente, com filho de ano e meio de idade, não tinha quem celebrasse o seu Dia, pois a criança estava longe de poder fazê-lo.

Comprar para si mesma um presente não tinha graça, e além do mais não havia dinheiro para isso. Aderir à festa das outras mães, que tinham filhos grandes e recebiam homenagens, era como furtar alguma coisa, o que repugnava a Edwiges.

Adormeceu e teve um sonho. O filho crescia velozmente diante de seus olhos e, chegando aos dezoito anos, levava para ela o mais lindo ramo de crisandálias e pequeno estojo de veludo.

Abriu-o com sofreguidão e deparou com uma aliança em que estava gravado um nome diferente do seu. Notando-lhe a surpresa, o filho pediu desculpas. O anel era para a namorada, só as flores lhe pertenciam. E saiu correndo com o estojo e o anel para entregá-los à moça.

Mãe solteira, Edwiges ficou com as crisandálias o tempo daquele sonho. Seu Dia das Mães consistiu em lembrar o sonho.

MANEIRA DE AMAR

O jardineiro conversava com as flores, e elas se habituaram ao diálogo. Passava manhãs contando coisas a uma cravina ou escutando o que lhe confiava um gerânio. O girassol não ia muito com sua cara, ou porque não fosse homem bonito, ou porque os girassóis são orgulhosos de natureza.

Em vão o jardineiro tentava captar-lhe as graças, pois o girassol chegava a voltar-se contra a luz para não ver o rosto que lhe sorria. Era uma situação bastante embaraçosa, que as outras flores não comentavam. Nunca, entretanto, o jardineiro deixou de regar o pé de girassol e de renovar-lhe a terra, na ocasião devida.

O dono do jardim achou que seu empregado perdia muito tempo parado diante dos canteiros, aparentemente não fazendo coisa alguma. E mandou-o embora, depois de assinar a carteira de trabalho.

Depois que o jardineiro saiu, as flores ficaram tristes e censuravam-se porque não tinham induzido o girassol a mudar de atitude. A mais triste de todas era o girassol, que não se conformava com a ausência do homem. "Você o tratava mal, agora está arrependido?" "Não", respondeu, "estou triste porque agora não posso tratá-lo mal. É a minha maneira de amar, ele sabia disso, e gostava."

MEDALHAS

No fim da vida, ele possuía grande coleção de medalhas, todas obtidas por merecimento. Havia as de curso primário, as de curso médio, as de universidade, as de natação, as de fidelidade partidária. Ganhara medalha por ato de bravura e por assiduidade ao serviço. Medalha de literatura e medalha de pintor de domingo. Medalha de benemérito de várias instituições consideradas de utilidade pública. Muitas medalhas.

Esquecia-me de mencionar a medalha de sofrimento, que lhe deram por haver suportado sem queixa a amputação de uma perna em consequência de desastre na via Dutra. Sua resignação fora exemplar, e a medalha, cunhada especialmente para ele.

Contemplava todas essas medalhas sem orgulho, mas com algum prazer, e só não gostava de pegar em uma delas. A medalha de silêncio, conquistada por haver mantido discrição num caso de segurança nacional. Seu depoimento salvaria um inocente, mas, fiel a seus princípios, não quis pôr em xeque os altos interesses do Estado, ou que lhe pareciam tal. Esta distinção o deixava triste. Ao morrer, pediu que jogassem todas fora.

MEU CORVO

Não vou dizer que senti simpatia por aquele bicho, logo que ele se postou à minha frente. Pelo contrário. Meu primeiro gesto foi para exterminá-lo, mas o bicho deu uma corrida tão a propósito que a mão bateu em cheio na mesa, e só amassou a fatia de bolo no prato.

Minutos depois, ele voltou para o mesmo lugar, e desisti de matá-lo. Ficava junto ao bolo amassado, e não parecia com intenção de comer. Estava ali por estar, simplesmente. Imóvel. Comecei a olhá-lo com interesse e finalmente com ternura. O bicho não queria nada. Saí, voltei, continuava no mesmo ponto escolhido. Eu disse escolhido? Certamente elegera aquele lugar para residência, e preferia não ser incomodado.

Dei ordem para que não o incomodassem. Passei a chamá--lo "o corvo", embora não tivesse nada de corvo. Era um animal insignificante, enrugado, inofensivo. Meu filho alvitrou que talvez se tratasse de uma ideia fixa. Mas se movimentara tão rápido, no primeiro dia, que a noção de fixidez não era aplicável. Sei não, mas eu gosto daquele animalzinho.

MILAGRE

— Não se faça de besta — disse o sacristão da igreja do Divino Salvador à insólita figura que se postara à sua frente, na noite de quinta-feira, quando ele varria a capela-mor. — Para mim você não é mula sem cabeça, pois tem cabeça e é simplesmente mula fugida do pasto do coronel. Saia imediatamente daqui.

— Coloquei cabeça para falar com ele, pois mula sem cabeça não tem língua. Seja compreensivo e peça ao senhor vigário para me desencantar, ouvindo-me em confissão.

— O senhor vigário não pode ouvir em confissão nem mula sem cabeça nem simples mula. Vá dando o fora.

O sacristão ia pegar da vassoura para brandi-la contra a visita inconveniente, quando uma luz se acendeu no candelabro principal do altar-mor, e a essa luz o corpo do animal se foi convertendo gradativamente no de uma bela mulher arrependida.

O sacristão perdeu a fala. Que é mesmo que ele podia falar, depois disto?

Ouviu a queixa do rio e prometeu salvá-lo. Dali por diante ninguém mais despejaria monturo em suas águas. Contratou vigilantes, e ele próprio não fazia outra coisa senão postar-se à margem, espingarda a tiracolo, defendendo a pureza da linfa. Seus auxiliares denunciaram que alguém, nas nascentes, turvava a água. Foi lá e verificou que um casal de micos se divertia corrompendo de todas as maneiras o fio d'água. Os animais fugiram para reaparecer à noite. E explicaram, antes que levassem tiro na barriga:

— Não fazemos por mal, apenas brincamos. Que pode um mico fazer para se divertir, senão imitar vocês?

— A mim vocês não imitam, pois estou justamente lutando para proteger este rio.

— Já não se pode nem imitar — observaram os micos, fugindo outra vez. — O homem é um animal impossível. Agora deu para fazer o contrário.

Ao nascer a menina, os pais debateram longamente o nome que iriam dar-lhe. Como não chegassem a entendimento, decidiram abrir ao acaso o dicionário, e a palavra mais bonita que fosse encontrada na página seria a eleita.

Por isso ela se chamou Oréade. Os pais explicaram às pessoas curiosas que se tratava de ninfa, habitante dos bosques, talvez de Viena, e das montanhas, possivelmente do Sul de Minas. E todos acharam lindo este nome.

Oréade cresceu igualmente linda, mas sua beleza tinha alguma coisa de vegetal, que começava nos olhos verdes, de um verde-musgo, e continuava na doce penugem dos braços, característica de certas folhas amáveis ao tato. Oréade tinha jeito de árvore e de água; seu sorriso era úmido, lembrava a transparência das fontes.

A moça não tinha mor encanto por festas, embora a alegria se estampasse em suas feições. Preferia caminhar a esmo pelas estradas em torno da cidade, subir aos morros, e lá em cima se quedava escutando a música dos passarinhos e outras vozes naturais.

Uma tarde ela não voltou do passeio. Por mais que a procurassem noite afora, e nos dias seguintes, não foi encontrada. Apareceu meses depois de manhãzinha, para uma visita que disse ser breve, e apresentou um fauno a seus pais:

— Meu marido.

Eles compreenderam imediatamente que o nome da filha não fora escolhido por força do dicionário, mas de um destino impreterível. Abençoaram a união, e o casal voltou para a serra do Encantamento.

NECESSIDADE DE ALEGRIA

O ator que fazia o papel de Cristo no espetáculo de Nova Jerusalém ficou tão compenetrado da magnitude da tarefa que, de ano para ano, mais exigia de si mesmo, tanto na representação como na vida rotineira.

Não que pretendesse copiar o modelo divino, mas sentia necessidade de aperfeiçoar-se moralmente, jamais se permitindo a prática de ações menos nobres. E exagerou em contenção e silêncio. Sua vida tornou-se complicada, pois os amigos de bar o estranhavam, os colegas de trabalho no escritório da Empetur (Empresa Pernambucana de Turismo) passaram a olhá-lo com espanto, e em casa a mulher reclamava do seu alheamento. No sexto ano de encenação do drama sacro, estava irreconhecível. Emagrecera, tinha expressão sombria no olhar, e repetia maquinalmente as palavras tradicionais. Seu desempenho deixou a desejar.

Foi advertido pela Empetur e pela crítica: devia ser durante o ano um homem alegre, descontraído, para tornar-se perfeito intérprete da Paixão na hora certa. Além do mais, até a chegada a Jerusalém, Jesus era jovial e costumava ir a festas.

Ele não atendeu às ponderações, acabou destituído do papel, abandonou a família, e dizem que se alimenta de gafanhotos no agreste.

NO INTERIOR DA BALEIA

Havendo a lei de Moisés autorizado que se comessem, dentre os animais habitantes das águas, aqueles providos de barbatanas, o pobre pescador, ao divisar uma baleia, dispôs-se a ingeri-la. Guardaria em seu casebre o que sobrasse da refeição, e devia ser muito, para ulterior aproveitamento.

A baleia, aparentando ser de boa índole, mostrou-se disposta a satisfazê-lo, mediante contrato. Ela também sentia fome, e por isso começaria comendo o pescador, que, já no seu ventre, a iria comendo pouco a pouco. A proposta foi aceita, e o animal, atenciosamente, evitou mastigar a carne do contratante, que por sua vez prometeu ser gentil na manducação interna.

O ventre da baleia era tenebroso, atravancado de volumes que incomodavam o pescador. Eram formas que se moviam, e ele distinguiu entre elas seres vivos, homens e peixes ansiosos por libertação. Estavam todos reduzidos a cativeiro, por haverem prestado fé à palavra da baleia. O pescador percebeu que devia incorporar-se ao grupo na tentativa de buscar o caminho de saída, fosse ele qual fosse. Mas os que estavam lá dentro havia muito tempo, declarando-se sem forças para agir, acharam de bom aviso devorar o pescador, para que melhor enfrentassem a situação. O que foi feito, apesar de seus protestos.

NOVO DICIONÁRIO

Qual não foi o pasmo de Matias ao abrir em casa o dicionário de português que comprara para o filho colegial, e verificar que ele era todo feito de palavras cruzadas.

— O garoto não vai estudar palavras cruzadas, vai estudar português — explicou ao balconista da livraria, pedindo a troca do volume.

— O dicionário está certo — respondeu-lhe o rapaz.

— Como está certo, se não começa pela letra A e termina pela letra Z, a exemplo de todos os dicionários de português desde que a língua existe?

— Estou vendo que o senhor não acompanhou a evolução do português. Com as últimas aquisições da ciência linguística e as recentes pesquisas lexiológicas, e mais o uso literário da língua, o português é hoje considerado jogo de palavras cruzadas. Cruzadíssimas.

— Hem? Não estou entendendo.

— Não precisa entender, desde que o senhor tenha habilidade para decifrar palavras cruzadas. Mestres universitários da maior categoria assim resolveram, e os editores lançaram dicionários de acordo com os novos moldes. Procure ler os tratados e revistas de lexiologia, os estudos sobre linguagem, os ensaios de crítica literária, as dissertações universitárias. Tudo palavras cruzadas. Seu filho ainda não tem a nova gramática cruzacional? É indispensável. E muito cuidado no cruzamento das ruas. As placas também vão cruzar.

O ADMIRADOR

Era fascinado por crepúsculos. Diante de um belo pôr de sol, expandia-se: "Ah!". Dia seguinte, o espetáculo se renovava, e ele: "Oh! Ah!". Em certas ocasiões, perdia mesmo a conta, explodindo: "Ah! Oh! Ah!" indefinidamente.

Naquela tarde, a combinação de matizes e nuvens foi tão soberba que as exclamações habituais se converteram em urros. Os urros, de tão estrondosos, provocaram deslocamento de ar. Empalideceram os tons, desmancharam-se as nuvens, e uma catarata desabou sobre a Terra, envolvendo o amador de crepúsculos, que desapareceu em redemoinho no girar do vento, vítima de sua capacidade de admiração.

— Que mulher! Que olhos! Que braços! Que bumbum! Que tudo! Eram exclamações de Gervásio, ao ver qualquer mulher na praia. Não fazia por menos. Mulher, para ele, era sempre coisa estupenda, mesmo que não fosse.

Tinha sorte com esse comportamento? Pois sim. Elas passavam sem ligar. Jamais alguma deu bola para ele. Pode-se dizer que viveu virgem, e talvez por isso adorava todas as mulheres.

Até que uma sorriu para ele. Gervásio ficou atrapalhadíssimo. Não podia acreditar que mulher nenhuma lhe desse colher de chá. E não era feia. Era regular.

Gervásio levou-a a um motel, e não se sabe o que aconteceu lá dentro, pois nenhum dos dois contou. Só que nunca mais Gervásio exclamou que mulher, que bumbum, que isso e mais aquilo. Ficou exigente, ou foi conquistado por um travesti?

— O amor das formigas, você já observou o amor das formigas? — perguntou Otávio a Isadora. Não, Isadora nunca observara o amor das formigas. — Nem eu — confessou Otávio. — Aliás, nunca ninguém observou o amor das formigas — sentenciou. — Mas os entomologistas... — ponderou Isadora. — Os entomologistas pensam que observaram — retrucou Otávio —, mas as formigas são muito discretas. Não são como os homens e as mulheres, que amam em público.

A conversa continuava nessa trilha de formiga, em zigue-zague, quando a formiga apareceu na ponta da toalha de mesa e foi subindo. Outra formiga veio em seguida. As duas caminharam às tontas, depois juntaram as cabecinhas num movimento elétrico, e se afastaram, cada uma para o seu lado.

— Você acha que elas se amaram? — perguntou Isadora. — De modo algum — respondeu Otávio. — Trocaram sinais de serviço, apenas. E daí, querida, ninguém ama com a cabeça, é exatamente o contrário: cabeça atrapalha. — Pois eu acho o contrário do contrário — disse Isadora. — As formigas podem ser mais evoluídas do que nós, e amar acima do coração, de um modo perfeito.

Mas a conversa não conduziu a nada, e os dois tomaram chá.

— É preciso inventar alguma coisa — disse o sapo. — Alguma coisa de novo, surpreendente. Pular ao som do fandango paranaense já está me tirando a alegria de viver. Eu queria pular ao ritmo da *Marselhesa*, por exemplo.

— Não te fica bem a *Marselhesa* — ponderou o caxinguelê.

— Não só é antiquada, como o teu jeito é mais para o folclore do Sul. Talvez uma rancheira, uma polquinha de galpão fosse mais indicada.

Mas o caxinguelê também não andava satisfeito com o seu número. Ágil e serelepe como é de natureza, tinha de imitar o filho de Guilherme Tell, imóvel, com a maçã na cabeça, esperando a flechada paterna. O pai era representado por um macaco simpático, que alimentava o desejo de, lá um dia, acertar no caxinguelê.

— Não tenho vocação para estátua nem para vítima. Vou deixar este circo, a menos que me nomeiem gerente. Tenho vocação para gerente, você sabia?

O sapo não sabia nada. Estava farto de fandango, que o obrigava a uma dança inconveniente para sua idade e condição.

De resto, nenhum animal daquele circo sentia prazer executando o número que lhe deram. Era o circo mais inconformado que já existiu. Seu dono ignorava isto, porque morava longe e nunca assistiu a uma função.

O circo jamais pegou fogo. Seus animais descontentes constituíam a maior atração. Cada vez seduziam mais público. Era o anticirco.

O ASSALTO

A casa luxuosa no Leblon é guardada por um molosso de feia catadura, que dorme de olhos abertos, ou talvez nem durma, de tão vigilante. Por isso, a família vive tranquila, e nunca se teve notícia de assalto à residência tão bem protegida. Até a semana passada. Na noite de quinta-feira, um homem conseguiu abrir o pesado portão de ferro e penetrar no jardim. Ia fazer o mesmo com a porta da casa, quando o cachorro, que muito de astúcia o deixara chegar até lá, para acender-lhe o clarão de esperança e depois arrancar-lhe toda ilusão, avançou contra ele, abocanhando-lhe a perna esquerda. O ladrão quis sacar do revólver, mas não teve tempo para isto. Caindo ao chão, sob as patas do inimigo, suplicou-lhe com os olhos que o deixasse viver, e com a boca prometeu que nunca mais tentaria assaltar aquela casa. Falou em voz baixa, para não despertar os moradores, temendo que se agravasse a situação.

O animal pareceu compreender a súplica do ladrão, e deixou-o sair em estado deplorável. No jardim ficou um pedaço de calça. No dia seguinte, a empregada não entendeu bem por que uma voz, pelo telefone, disse que era da Saúde Pública e indagou se o cão era vacinado. Nesse momento o cão estava junto da doméstica, e abanou o rabo, afirmativamente.

O BANHO SURPREENDIDO

Os cães habitam quadros célebres, como elementos acessórios de composição, mas para quem gosta de animais eles constituem o próprio tema da obra de arte. E mesmo para simples observadores da vida.

Um pintor renascentista que escolheu como assunto o banho de Susana surpreendida pelos velhos teve ideia de colocar um cão como guarda da pudicícia da banhista. O animal avança, irado, contra um dos anciãos indiscretos, que recua tomado de justo medo. Em face da determinação do cachorro e do susto do velho, a nudez de Susana torna-se secundária. O cão roubou a cena e seu significado bíblico. A mulher poderia até sair à rua assim como estava, sem que fosse notada, pois o interesse dos passantes havia de concentrar-se na perseguição do homem pelo cão, e em apostar quem levaria a melhor.

Requinte do artista, nem sempre observado pela crítica, é a decepção que se estampa no rosto de Susana. Ser vista na intimidade por olhos lúbricos não a afeta. O que a desaponta é ver o cão tornar-se mais importante que a sua nudez.

— O senhor tem lista dos uísques importados?

— Aqui está. Tenho certeza de que encontrará a sua marca preferida.

Explicou que não era de preferir marca. Preferia todas. Seu prazer consistia em ir do Ancestor ao White Horse, não desprezando nenhum dos que começam pelas demais letras do alfabeto. O gerente ficou assombrado. Que bebedor enciclopédico!

— Noto uma coisa. A lista me parece bastante lacunosa. O senhor não tem uísques das letras E, I, K, M, N, Q, T, U, X, Y e Z. É pena.

— Perdão, mas será que não bastam as cinquenta e tantas marcas que ponho à disposição?

— Não, infelizmente. Queria o abecedário completo.

— E... iria comprar todo ele?

— Comprar? Absolutamente não. Não pretendo comprar sequer uma garrafa. Com esses preços, nem mesmo as miniaturas, sabe? Eu sou bebedor de lista. A lista me invoca, me embriaga, me transporta ao sonho. Mas só uma lista bem completa. Obrigado, passe bem.

O BEM MAIS PERIGOSO

Havendo meditado profundamente sobre a afirmação do poeta Hölderlin — "a linguagem é o mais perigoso de todos os bens" —, o sr. Saturnino deliberou recolher-se à mudez total. Sua boca não pronunciou mais um monossílabo.

A família sentiu que não havia argumento ou artifício capaz de devolvê-lo ao mundo dos sons, e por sua vez foi ficando calada. No fim de seis meses ninguém falava naquela casa. Nem as moscas zumbiam.

A história da família silenciosa provocou certa curiosidade, mas outros seis meses se passaram, e não se prestou mais atenção naquilo. Saturnino e família foram esquecidos.

Não pediam, não reclamavam, não pleiteavam nada. Ultimamente nem saíam de casa. A casa não se abria. O fiscal de arrecadação, por força de lei, bateu à porta para intimar Saturnino a pagar com multa os impostos. A porta abriu-se sem ranger e lá dentro foram encontrados Saturnino e seus familiares transformados no advérbio jamais.

O CASAMENTO DO SÉCULO

O casamento do século, assim considerado por toda a população da Terra, em 1499, foi o do almirante português Diogo Nunes Alcaçova com a bela Antonieta Malacoda, ambos de nobre estirpe, ela italiana. Cem dias de festa a céu aberto, em Veneza, foram um deslumbramento jamais visto em cortes europeias. Inúmeros convidados, no auge do entusiasmo, caíram no canal, e muitos deles não regressaram vivos. Também ocorreram assassínios motivados por embriaguez.

Nem por isto se empanou a alegria das bodas, e o doge Pantaleone profetizou para o casal destino esplendoroso, anunciando que Diogo descobriria novo continente e nele seria imperador. No ano seguinte os esposos embarcaram à frente de numerosa frota, cruzando com a esquadra de Pedro Álvares Cabral. Trocados os cumprimentos de estilo, Cabral fez ver a Diogo que deveria desistir do projeto de descobrimento, pois o astrólogo oficial da coroa portuguesa vaticinara que tocaria a ele, Cabral, o notável feito, e dois almirantes não cabem numa conquista.

Antonieta insuflou o ânimo do marido, que desafiou Cabral para duelo e pereceu no encontro a espada. Sua viúva assumiu o comando da expedição e rodou a esmo pelo Atlântico, sob protesto dos tripulantes, que se amotinaram tentando matá-la. Todos sucumbiram a seu estranho poder, e as naus afundaram entre chamas. Antonieta, ilesa, voou pelos ares como uma grande ave negra.

Em Veneza, o sábio Torquato Folco observou que tudo fora obra do Maligno. Antonieta não era mais do que a encarnação do demônio-guia Malacoda, citado por Dante. O casamento do século passou a ser considerado a tragédia do século.

O CASAMENTO SECRETO

Ainda há casamentos secretos, como no tempo de Cimarosa. Mas sem música. A vantagem deste tipo de união é que, permanecendo oculto, não sofre o desgaste da vida social e conserva o toque de mistério e poesia que frequentemente falta aos casamentos comuns. Jurandir sentiu-se tão bem em seu matrimônio secreto com a filha de um banqueiro (cada um vivia na sua casa, e encontravam-se em ambiente secretíssimo) que nem se sentia casado. Esquecendo-se do vínculo, ele prevaricava sem maldade. O mesmo acontecia com Andreia. Até que os dois se viram cara a cara num motel, a que haviam acorrido em consequência de anúncios classificados, dele e dela, em busca de fantasia.

Jurandir e Andreia fitaram-se por um momento, como se não se conhecessem. Afinal se lembraram.

— Mas eu sou casado com você, querida. Não podemos ter uma aventura juntos.

— É mesmo, amor. Também sou casada com você. É totalmente impossível nos desligarmos desta verdade.

— Quem sabe?... — ponderou Jurandir. — A gente pode se esquecer, como habitualmente.

— Então tá — e naquela tarde viveram a situação nova.

O DISCURSO VIVO

A cidade tinha um orador para todo serviço, o Tomé. Tanto saudava os aniversariantes como enaltecia os defuntos, e não havia Festa da Bandeira ou celebração da Independência em que ele não soltasse o verbo. Verbo potente e impressionante, pois o que distinguia a oratória de Tomé era menos a qualidade do que o volume e duração do som.

Alguns homens com pendores demostênicos tentavam imitá-lo sem êxito. Acabaram desistindo de discursar. Tomé ficou absoluto, e dizem que, alta noite, não tendo solenidade para expandir-se, discursava sozinho. E todos se punham a escutá-lo, na vizinhança.

Por fatalidade, perdeu a voz ao saudar miss Chicória, símbolo do principal produto do município, eleita em concurso disputadíssimo. Não teve remédio senão continuar falando por gestos, e arrebatou o auditório. Tomé, orador mímico daí por diante, ficou ainda mais popular. Nem precisava abrir os braços e a boca. Era o discurso em si, independente de tudo.

O amor foi à função, bebeu, cantou e bailou, estava muito excitado, tiveram de levá-lo para casa e prendê-lo no quarto para que repousasse. No dia seguinte o amor cantou e bailou sem beber, e era sempre primavera nos seus modos e falas. O amor viajou, voltou, fazia piruetas, trocadilhos, esculturas, criava línguas e ensinava-as de graça. Todos o queriam para companheiro, paravam de guerrear para abraçá-lo, jogavam-lhe moedas que ele não apanhava, gerânios que ele oferecia às crianças e às mulheres. O amor não adoecia nem ficava mais velho, resplandecia sempre, havia quem o invejasse, quem inventasse calúnias a seu respeito, o amor nem ligava. Cercaram sua casa de madrugada, meteram-lhe a cabeça num saco preto, conduziram-no a um morro que dava para o abismo, interrogaram-no, bateram-lhe, ameaçaram jogá-lo no precipício, jogaram. O amor caiu lá embaixo aos pedaços, mas se recompôs e foi preso outra vez, aplicaram-lhe choques elétricos, arrancaram-lhe as unhas, os dedos, o amor sorria e quando não podia mais sorrir gritava numa de suas línguas novas, que não era entendida. E desfalecendo voltava à consciência, e torturado outra vez, era como se não fosse com ele. Quebraram o amor em mil partículas, e ninguém pôde ver as partículas. Foi sepultado normalmente no fim do mundo, que é para lá da memória. Ninguém o localizou, mas todos falavam nele, o amor virou um sonho, uma constelação, uma rima, e todos falavam nele, e ressuscitou ao terceiro dia.

O ENTENDIMENTO DOS CONTOS

— Agora você vai me contar uma história de amor — disse o rapaz à moça. — Quero ouvir uma história de amor em que entrem caravelas, pedras preciosas e satélites artificiais.

— Pois não — respondeu a moça, que acabara de concluir o mestrado de contador de histórias, e estava com a imaginação na ponta da língua. — Era uma vez um país onde só havia água, eram águas e mais águas, e o governo como tudo mais se fazia em embarcações atracadas ou em movimento, conforme o tempo. Osmundo mantinha uma grande indústria de barcos, mas não era feliz, porque Sertória, objeto dos seus sonhos, se recusava a casar com ele. Osmundo ofereceu-lhe um belo navio embandeirado, que ela recusou. Só aceitaria uma frota de dez caravelas, para si e para seus familiares.

Ora, ninguém sabia fazer caravelas, era um tipo de embarcação há muito fora de uso. Osmundo apresentou um mau produto, que Sertória não aceitou, enumerando os defeitos, a começar pelas velas latinas, que de latinas não tinham um centavo. Osmundo, desesperado, pensou em afogar-se, o que fez sem êxito, pois desceu no fundo das águas e lá encontrou um cofre cheio de esmeraldas, topázios, rubis, diamantes e o mais que você imagina. Voltou à tona para oferecê-lo à rígida Sertória, que virou o rosto. Nada a fazer, pensou Osmundo; vou transformar-me em satélite artificial. Mas os satélites artificiais ainda não tinham sido inventados. Continuou humilde satélite de Sertória, que ultimamente passeava de uma lancha para outra, levando-o preso a um cordão de seda, com a inscrição "Amor imortal". Acabou.

— Mas que significa isso? — perguntou o moço, insatisfeito. — Não entendi nada.

— Nem eu — respondeu a moça —, mas os contos devem ser contados, e não entendidos; exatamente como a vida.

O HOMEM OBSERVADO

O pardal pousou na janela e ficou espiando o interior do quarto, onde havia muitos livros.

O homem, debruçado sobre a mesa, não percebeu a chegada do pardal. Ao olhar distraidamente na direção da janela, viu o pássaro imóvel e observador.

O homem não se alterou. Prosseguiu no trabalho, que era o de tirar coisas invisíveis da cabeça e colocá-las no papel.

O pardal prestava atenção ao movimento do braço e da cabeça, que às vezes fazia um sinal afirmativo, outras negativo. Também reparou que os lábios dele ora se contraíam, ora esboçavam sorriso.

Nisto se passou bem meia hora. O pardal não tinha pressa, e o homem continuava na sua operação. De repente, o homem pegou do papel onde botava as coisas invisíveis que tirava do cérebro e, com um gesto brusco, fez dele uma bola e atirou-a ao chão.

— Diabo desse pardal que não me deixa escrever o que eu quero! — exclamou.

— Eu estava achando linda a brincadeira desse homem, e ele me assustou — queixou-se o pardal, batendo em retirada.

O HOMEM QUE FAZIA CHOVER

Aquele homem era evitado em sociedade porque, ao chegar à festa, chovia muito, e ao sair caía outro pé-d'água. Nos grandes jantares, a chuva não se interrompia e até, inexplicavelmente, rorejavam pingos na sala, em torno dele. Não recebendo mais convites, e gostando de reuniões, teve de transferir-se para os restaurantes, mas sua presença continuava a provocar precipitação de água. No fim de certo tempo, os gerentes ligaram uma e outra coisa, e proibiram-lhe a entrada em seus estabelecimentos.

Condenado a comer sozinho em casa, ele sofria de solidão e tentava restabelecer contatos sociais. A muito custo, obteve convite para um ajantarado modesto, no subúrbio, e tudo foi bem até a hora do café. Nesse momento uma nuvem escureceu o ar, e desabou sobre a casa um dilúvio que a mergulhou em verdadeira catarata, jogando-a ao solo como se fosse feita de papel. Morreram todos, inclusive o convidado.

O dr. Maximus Gervasius, que fez a autópsia do promotor de chuva, verificou em seu organismo curiosa anomalia: a existência de um órgão que atuava sobre a atmosfera, em determinadas circunstâncias, provocando aguaceiro. Lamentou que essa propriedade não houvesse merecido a atenção dos poderes públicos, para utilização nas zonas desérticas do país.

O INTÉRPRETE

Certo homem chamado Loio era ouvido pelos amigos sobre questões que diziam respeito ao interesse comum, e emitia juízos acertados.

— O Loio é o nosso líder — diziam eles. — Cabeça fria está ali.

— E coração quente — rematavam outros. — Sabe o que se deve fazer e tem um sentimento muito forte de solidariedade.

O que tornava Loio querido e respeitado pela roda é que, no fundo, ele não fazia mais do que descobrir o que cada um desejava e não sabia dizer com clareza. Loio era intérprete.

Seu nome começou a ser apregoado fora do círculo de amigos como o de bom candidato para tudo: dirigente de empresa, senador, defensor público, presidente da Nuclebrás e até da República.

Sondado a respeito dessas possibilidades, Loio abanou a cabeça negativamente:

— Nada disso. Os amigos, eu entendo bem o que eles querem e traduzo. Mas é dificílimo entender aquilo com que vocês me acenam. E eu receio que, se chegasse a entender, sairia correndo o resto da minha vida para não me envolver nessas coisas. Com licença, estou ocupado. Até.

O LAZER DA FORMIGA

A formiga entrou no cinema porque achou a porta aberta e ninguém lhe pediu bilhete de entrada. Até aí, nada de mais, porque não é costume exigir bilhete de entrada a formigas. Elas gozam de certos privilégios, sem abusar deles. O filme estava no meio. A formiga pensou em solicitar ao gerente que fosse interrompida a projeção para recomeçar do princípio, já que ela não estava entendendo nada; o filme era triste, e os anúncios falavam de comédia. Desistiu da ideia; talvez o cômico estivesse nisso mesmo. A jovem sentada à sua esquerda fazia ruído ao comer pipoca, mas era uma boa alma e ofereceu pipoca à formiga. — Obrigada — respondeu ela —, estou de luto recente. — Compreendo — disse a moça —, ultimamente há muitas razões para não comer pipoca. A formiga não estava disposta a conversar, e mudou de poltrona. Antes não o fizesse. Ficou ao lado de um senhor que coleciona formigas, e que sentiu, pelo cheiro, a raridade de sua espécie. Você será a 7001ª da minha coleção, disse ele, esfregando as mãos de contente. E abrindo uma caixinha de rapé, colocou dentro a formiga, fechou a caixinha e saiu do cinema.

O LOCUTOR ESPORTIVO

O locutor esportivo mais festejado em 1929 foi Anselmo Fiora-vanti, que não entendia de futebol e por isso inventava. Sua estreia ao microfone gerou uma tempestade de protestos. Os ouvintes exigiam sua dispensa, mas o diretor da estação considerou que muitos outros se pronunciaram encantados com Anselmo, classificado como humorista de primeira água. Foi mantido, e sua atuação despertou sempre o maior sucesso. Jogo narrado por ele era muito mais fascinante do que a verdadeira partida. Anselmo creditava o gol ao time cujo arco fora vazado. Trocava os nomes dos jogadores, invertia posições e fazia com que o clube derrotado empatasse ou ganhasse, conforme a inspiração do momento. Na verdade, ele não mentia. Apenas, ignorava as regras mais comezinhas do esporte e contava o que lhe parecia estar certo.

Torcedores e agremiações o tinham em alta conta, porque ele mantinha aceso o interesse pelo futebol. Os vencedores de fato não se magoavam com a informação contrária, pois a vitória era inquestionável. E os derrotados consolavam-se com o triunfo imaginário que ele generosamente lhes concedia.

De tanto assistir a jogos, um dia ele narrou corretamente um lance. Houve pênalti e Anselmo anunciou pênalti. Foi a sua desgraça. Nunca mais ninguém lhe prestou ouvidos, e Anselmo terminou os dias como gari em Vila Isabel.

ONDE NINGUÉM ENTRA

Na casa do rei, que é um palácio de corindo e pórfiro vermelho antigo, não posso entrar, mas nos jardins do rei, abertos à visitação pública, eu e meus amigos e os amigos de meus amigos temos direito de passear e até de fazer piquenique.

Vivemos de olhos cravados nas janelas da casa do rei, pois há expectativa de ele assomar e saudar-nos ou fazer um gesto qualquer. Até agora isto não aconteceu. Começamos a suspeitar que o rei não mora, nunca morou em sua casa.

Então onde mora o rei, e se não mora ali, por que não nos franqueiam a entrada da casa? O guarda explicou-nos que seria contra o protocolo, e não pode haver rei sem protocolo. E que não fazia mal o rei, por hipótese, não morar ali ou mesmo em nenhum lugar, pois o rei não é propriamente uma pessoa, mas uma instituição, ao passo que nós, seus súditos, somos pessoas físicas e em geral não nos comportamos bem nos paços.

Um dia destes alguém, desconhecido de nós todos, tentou forçar a entrada na casa do rei e foi dissuadido com bons modos. Como insistisse, removeram-no à força. Meu filho de oito anos, que assistiu à cena, perguntou: "Quem sabe se era o rei que queria entrar?".

O NOME

Na República mais ou menos federativa da Copaíba, a situação não estava nada boa, pelo que os maiorais do Partido da Situação (PSI) se reuniram para encontrar uma saída.

— Temos de mudar a situação — afirmou um.

— Não temos condições para mudar a situação — objetou outro.

Sugeriu o terceiro:

— Se a situação é isso que a gente está vendo, e se não podemos mudar a situação, mudemos pelo menos o nome do Partido da Situação.

Ideia aprovada, lembraram-se diversos nomes. Partido da Situação em Termos (PST) não foi julgado conveniente. Partido sem Culpa pela Situação (PSC) afigurou-se escapista. Não se considerou objeto de exame a proposta de Partido Qualquer Coisa (PQC).

Alcançou dois votos a lembrança de Partido do Ovo (PO). Era simples e expressivo, por ser o ovo a célula inicial de que resultaria nova situação. Com a vantagem de se poder acrescentar-lhe, em época de eleições, uma consoante sugestiva: Partido do P'Ovo.

A ideia foi afastada sob a alegação de que Ovo, só, não define orientação e dá margem a perguntas: Frito? Estrelado? Poché? Galado? Gorado? De Colombo?

Venceu finalmente a proposta mais sábia: Partido, simplesmente (P). Com este nome, enfrenta-se qualquer situação, e até mesmo a falta de situação.

O PÃO DO DIABO

Espalhou-se no bairro a notícia de que Ludovico, ao partir o pão quando jantava, teria exclamado:

— Este é realmente o pão que o Diabo amassou.

O padeiro Romualdo sentiu-se ofendido em sua honra profissional e foi pedir satisfação. Ludovico não só confirmou o que dissera como aduziu:

— É também o Diabo que fabrica a sua farinha, Romualdo. Fique alerta e verá.

O padeiro não dormiu aquela noite. De madrugada, pé ante pé, entrou na padaria e surpreendeu um estranho ser que retirava os pães do forno, fazendo-os desaparecer e substituindo-os por outros que eram amassados na hora, feitos de uma farinha especial, com vago cheiro de enxofre.

Petrificado de espanto, Romualdo nada pôde fazer. Mesmo porque logo em seguida caiu duro no chão, onde foi encontrado ao amanhecer, e pouco a pouco recuperou a consciência.

Seu primeiro gesto foi pedir um pão e cheirá-lo. Cheirava natural, mas o padeiro não ousou prová-lo. Fechou o estabelecimento e sumiu no mundo.

Ludovico arrematou as instalações e passou a ser o padeiro do bairro, sem problemas.

O PAPAGAIO PREMIADO

O I Concurso Nacional de Papagaios, realizado em Nova Brasília, no estado do Pará, conferiu medalha de ouro ao candidato Crisóstomo, que falava diversas línguas, entre elas o esperanto. A ave premiada pertencera a sujeitos de diferentes países, daí o seu conhecimento de idiomas. Crisóstomo compareceu a congressos de linguística, e suas intervenções eram gravadas para o ensino audiovisual nas escolas.

Sua pronúncia era invejada não só pelos psitacídeos como por professores de línguas. Ganharia bom dinheiro se fosse ambicioso. Não era. O produto de suas conferências revertia em benefício da Associação dos Papagaios Mudos.

Crisóstomo não resistiu, porém, ao convite para fundar novo partido político. O que sabia em línguas faltava-lhe em arte política. Oradores violentos, na Câmara, impunham-lhe silêncio. Renunciou o mandato e recolheu-se ao asilo da associação beneficiada por ele, que o recebeu com prevenção. E nunca mais falou, a não ser para pedir desculpas.

O PERGUNTAR E O RESPONDER

O espelho recusou-se a responder a Lavínia que ela é a mais bela mulher do Brasil. Aliás, não respondeu nada. Era um espelho muito silencioso.

Lavínia retirou-o da parede e colocou outro, que emitia sons ininteligíveis, e foi também substituído.

O terceiro espelho já fazia uso moderado da palavra, porém não dizia coisa com coisa.

Um quarto espelho chegou a pronunciar nitidamente esta frase: "Vou pensar". Ficou pensando a semana inteira, sem chegar à conclusão.

Lavínia apelou para um quinto espelho, e este, antes que a vaidosa senhora fizesse a interrogação aflita, perguntou-lhe:

— Mulher, haverá no Brasil espelho mais belo do que eu?

O PODER DE UMA RABECA

A mulher do intendente-geral saiu de casa pela manhã para ir ao cabeleireiro, mas ao cabeleireiro ela não chegou.

A meio caminho viu o bando de crianças que dançava em torno de um mico, e o mico tocava rabeca. Ficou tão encantada com a alegria reinante que resolveu incorporar-se ao grupo, e lá permaneceu dançando. Dançando e cantando, como todos faziam.

Juntou gente na praça, e o inspetor de veículos, escandalizado, foi avisar ao intendente-geral que sua excelentíssima esposa tinha regredido à infância.

O marido correu ao local e, com severidade, chamou a mulher ao respeito das conveniências. Ela estendeu-lhe os braços, sorrindo e dizendo-lhe: "Vem". Mas o intendente-geral não quis atendê-la e saiu furibundo, exclamando que daquele momento em diante não era mais casado.

O mico da rabeca, sempre tocando, afastou-se, e as crianças o foram seguindo. A mulher do intendente-geral, também. À proporção que caminhavam, ela ia ficando do tamanho das meninas, e quando sumiram na volta da estrada era uma criança igual às outras. Dançando e cantando.

O REI E O FENO

O rei Nabucodonosor, castigado por Deus, e conforme o predito por voz misteriosa, começou a alimentar-se de feno, como os bois. Isto não é novidade, e consta dos livros santos. Estes, contudo, omitiram pormenor transmitido por velho pedreiro de Babilônia a seus filhos e, de geração a geração, chegado oralmente aos dias de hoje.

A princípio o feno tinha gosto de mel e muito aprazia ao paladar do monarca. Assim como assim, era punição leve, e podia considerar-se gentileza do Altíssimo. Nabucodonosor não se queixava, até mesmo lambia os beiços. Mas depois o feno foi perdendo a doçura e recuperando sua natureza. Era feno mesmo. O rei decaído surpreendeu-se um dia emitindo mugidos de vaca.

Os doutores babilônicos reunidos para analisar o fenômeno dividiram-se em dois grupos. Este entendia que algum anjo complacente, encarregado de cumprir a ordem divina, operara a transmutação de gosto, mas, roído de escrúpulos, acabara por executá-la à risca. O outro opinou que a ordem era aquela mesma, e pretendia iludir o rei por algum tempo, para tornar mais rude a sentença. Houve empate na votação.

Nabucodonosor terminou assumindo forma bovina. Completamente.

O REI E O POETA

Era lei, era decreto, era folclore, fosse lá o que fosse, o fato é que naquele reino o rei, a rainha e os príncipes não defecavam. E ninguém podia duvidar do fenômeno, sob pena de ser enforcado. Só eles, porém. Duques, arquiduques, condes, viscondes, marqueses e barões não gozavam de tal privilégio. Faziam cocô como toda gente.

E por que o rei e sua família se distinguiam nesse particular? O velho almanaque explicava: a parte da alimentação deles que normalmente se converteria em fezes transformava-se em sangue azul do mais fino. Sangue azul desse tipo, fidalgo nenhum poderia ter.

Um poeta vindo de região longínqua surgiu na praça fronteira ao palácio real e declarou alto e bom som que também não fazia necessidades. Sua comida virava poesia. E ofereceu-se para fazer a prova disto à vista de todos.

Inteirado, o rei ficou furibundo e ordenou que levassem à sua presença aquele plebeu atrevido. O poeta saudou cortesmente o monarca (era muito bem-educado), pediu um pedaço de pão, mastigou, engoliu e imediatamente compôs um soneto negando a existência de sangue azul. Dizia o verso final:

Azul, só mesmo o azul de Mallarmé.

Ao ouvir tal coisa, o rei, trêmulo de indignação, comeu três biscoitos e dispôs-se a perpetuar um triolé. Nenhum verso lhe fluía da boca, e sua dor de barriga era tão compulsiva que sua majestade teve de sair correndo em direção ao banheiro.

O RELÓGIO DE SOL E O DE NUVENS

São tão sofisticados os relógios de pulso anunciados pela televisão e pelas revistas, que o pintor Oscar Tecídio resolveu dar-se ao gosto de construir relógios de sol. E mais: a ensinar como se constroem. Ter relógio de sol em casa é ter máquina antiga, que nos aproxima dos chineses e egípcios e nos confere dignidade intemporal. Sentimos fisicamente a presença do tempo pelo fugir da sombra, e assimilamos o magno sentido da sombra, que é um estado de criação anterior à luz, e portanto à vida. Previvemos a aventura humana ao sentir que tudo se resume em jogo de luz e sombra, sobre a pedra indiferente, que, mesmo dominada, nos domina.

Sonhei com o relógio de sol e ele me conduziu até o limite em que, não havendo tempo, não havia relógio, e o sol era uma utilidade dispensável. Por que fomos utilizá-lo, meu Deus. Nasceram daí muitas civilizações e dores de cabeça, que o relógio de sol registra sem tomar partido. Porque o relógio de sol é belo em si, e dispensa utilização — ensinou-me a ninfa que se banhava na Cascatinha, antes do despertar dos guardas, e me confiou que fazia isso há não sei quantos milênios. Por faceirice, usava relógio de sol, feito de nuvem, e com ele mirava o céu mais longínquo, todo feito de olhos em forma de flores, ou de flores em forma de olhos: era a mesma coisa.

A partir de então, deixei de usar relógio de pulso — para quê? se o fundamento está do outro lado, que a ninfa me fazia entrever. Oscar Tecídio, me faz depressa esse relógio de nuvens.

OS DADOS ESSENCIAIS

Etelberto matriculou-se na Faculdade de Comunicação. Lá aprendeu que toda matéria jornalística bem redigida há de responder às seguintes perguntas: Quem? O quê? Quando? Onde? Por quê? Como? Impressionou-se de tal modo com a objetividade e o alcance da fórmula, que daí por diante, a qualquer propósito e mesmo sem propósito algum, se surpreendia indagando a si mesmo quem, o quê, quando, onde, por quê e como.

Matutando horas seguidas, concluiu que não só a notícia, mas toda a vida terrestre deve ser considerada à luz dos seis dados, e esses dados são os da aventura humana. A filosofia não pretende outra coisa senão achar o porquê do quê, e esta chave continua insabida. O como tarda a ser esclarecido totalmente, pairam dúvidas sobre o quando, e muitas vezes torna-se impossível apurar quem é quem. Estamos sempre interrogando a Deus, aos laboratórios, ao vento.

Etelberto passou a ver o mundo como notícia mal redigida, que o copidesque não teve tempo de reformular, ou não quis ou não soube. Desistiu de diplomar-se em comunicação. Hoje mantém uma criação de trutas, que lhe rende bom dinheiro. É fornecedor exclusivo de restaurantes de cinco estrelas.

OS DIFERENTES

Descobriu-se na Oceania, mais precisamente na ilha de Osse-vaolep, um povo primitivo, que anda de cabeça para baixo e tem vida organizada. É aparentemente um povo feliz, de cabeça muito sólida e mãos reforçadas. Vendo tudo ao contrário, não perde tempo, entretanto, em refutar a visão normal do mundo. E o que eles dizem com os pés dá a impressão de serem coisas aladas, cheias de sabedoria.

Uma comissão de cientistas europeus e americanos estuda a linguagem desses homens e mulheres, não tendo chegado ainda a conclusões publicáveis. Alguns professores tentaram imitar esses nativos e foram recolhidos ao hospital da ilha. Os cabecentes-para-baixo, como foram denominados à falta de melhor classificação, têm vida longa e desconhecem a gripe e a depressão.

OS ESQUADRÕES

Dois esquadrões da morte disputavam o campeonato de outono. O que tinha como logotipo o escorpião levava certa vantagem sobre o que inseria na lapela, em gótico, a palavra *Justice*. Cinquenta e cinco massacrados, por conta do primeiro, e trinta e oito, de iniciativa do segundo, eram os números computados até a primeira quinzena de abril.

O grupo *Justice*, sentindo-se em inferioridade, reagiu empreendendo caçada espetacular, mas o Escorpião parecia disposto a levar-lhe a palma, e toda a periferia urbana ficou juncada de corpos.

Uns tantos indivíduos marcados para morrer, em vez de se entregarem ao pânico, decidiram enfrentar o Escorpião e o *Justice*, formando o terceiro esquadrão, que saía pela madrugada com ânimo e munição suficientes. Ocorreram inúmeras baixas, inclusive por engano.

Achando-se em perigo, os dois esquadrões tradicionais puseram de lado os melindres e fundiram-se numa hiperorganização. O terceiro grupo, cujo símbolo era o lobisomem, acabou achando mais útil entrar em negociações e compor-se com os adversários. O que foi feito. Constituem hoje uma força invencível, disposta a acabar com todos os inocentes da cidade.

O SEXTO GATO

Nasceram sete gatinhos da gata siamesa, mas o sétimo era mofino, e a mãe não lhe deu apreço, pelo que o coitado achou de bom aviso raspar-se deste mundo com a maior discrição.

Os restantes cresceram na forma habitual, e à medida que cada um se desenvolvia a gata se considerava quite com ele, dispensando-se de amamentá-lo e lambê-lo. Sabendo que esta é a lei natural, eles saíam muito lampeiros para viver a vida.

O último, porém, não quis desligar-se da proteção materna. Deixar de mamar, ele admitia, mas deixar de ser lambido e de dormir encostado à mãe, isso nunca.

Resultou que a gata, a princípio aborrecida, acabou se conformando com a companhia do gato já florido e maior do que ela, e daí por diante esqueceu as regras da espécie, passando a ser a primeira supermãe felina.

O dono quis separá-los para vender a cria. A mãe ferrou-lhe uma unhada no traseiro, que o fez desistir do negócio.

Mãe e filho, inseparáveis e castos, foram objeto de programas de televisão do Dia das Mães e do Dia dos Gatos, mas queixavam-se da publicidade. Preferiam dormir nessas ocasiões.

OS LICANTROPOS

Surgiram alguns licantropos na cidade, e a população corria deles. Não corria tanto assim, pois os licantropos só apareciam noite alta. E sempre nas sextas-feiras. De qualquer modo, no-tívagos eram surpreendidos pelos licantropos, e não sentiam o menor prazer no encontro. O resto da população, tentando dormir em seus quartos, simplesmente sentia medo.

O sábio professor Epaminondas Barzinsky debateu o assun-to na Academia de Ciências Sobrenaturais, advertindo que pri-meiro se devia apurar se se tratava de licantropos propriamen-te ditos, ou de pessoas afetadas de licantropia. Propôs que se nomeasse comissão para investigar este ponto. Se ficasse com-provado que os licantropos eram da primeira espécie, levaria o estudo às últimas consequências.

Ninguém quis fazer parte da comissão, e o próprio Barzinsky pôs-se em campo, no interesse da ciência. Uma semana depois, voltou à sede social, requerendo reunião extraordinária para a meia-noite da próxima sexta-feira. Combinado. Ao entrarem na sala à hora aprazada, seus colegas viram que um licantropo ocu-pava a tribuna de conferências. Saíram apressadamente, e nun-ca mais a Academia se reuniu nem Barzinsky foi visto.

OS LIMITES DA IMAGINAÇÃO

Por que lhe deram esse nome — Vitrúvio? Porque os pais acharam bonito. Assim, por ter crescido Vitrúvio, quis tornar-se Vitrúvio, mas a profissão de arquiteto não combinava com o seu eu profundo. Seus projetos conduziam a desabamentos, e teve de resignar-se a não projetar no papel. Passou a fazê-lo em imaginação, reconstruindo totalmente Paris e outras cidades, e conquistando prêmios acadêmicos de repercussão internacional.

Mas vivia triste, porque Cristina Onassis não lhe deu licença para instalar na ilha de Scorpios o Centro Universal de Festas, obra que traria felicidade ao mundo. Por mais que insistisse em sonho, ela continuava irredutível. A imaginação freou-se a si mesma. Se fosse procurá-la pessoalmente, talvez a moça acabasse cedendo à insistência. Mas de longe, e em pensamento, nunca.

Vitrúvio jamais se consolou, e passou a considerar Cristina mulher sem imaginação.

O SOFRIMENTO DE JÓ

Os amigos de Jó, ao fim de certo tempo, acharam que ele se comprazia em sofrer e lamentar-se porque o Senhor o havia abandonado. Sentiam-se enervados com a prantina infindável.
— É preciso dar jeito na vida de Jó — dizia um. — Ninguém mais suporta as suas lamentações. Vamos propor-lhe uma viagem ao país de Tiro, onde ele se deleitará com as coisas belas e agradáveis ofertadas pelo rei Hirão?

Jó recusou o convite, alegando que não tinha amigos, e a proposta visava sua perdição eterna. Trancou a porta a Elifaz, a Baldad e a Sofaz, e continuou a dizer-se o mais desgraçado dos homens. A Morte, que rondava, escutou-o. E sugeriu-lhe:
— Venha comigo. Darei cura total a seus males.
— Muito obrigado — respondeu Jó. — Não posso mais viver sem eles. Desaprendi a alegria e, pensando bem, qualquer estado é sempre o mesmo; todas as coisas são uma só e triste coisa. Deixe-me em paz, isto é, em guerra comigo mesmo.

O Senhor, ouvindo tamanho dislate, apiedou-se de Jó e restituiu-lhe as graças e bens perdidos, mas Jó nunca mais foi o mesmo homem. Conhecera o sofrimento, que lhe voltava em sonho.

Esta versão, que contraria o livro clássico, foi divulgada pela terceira filha de Jó, chamada Cornustíbia, a quem os cronistas da época não concedem maior crédito, alegando que nascera de cinco meses e não tinha a cabeça no lugar.

OS PRIVILEGIADOS DA TERRA

O fragmento de satélite artificial — só podia ser de satélite — caído sobre o povoado transformou de repente a vida dos moradores, que não chegavam a trezentos. Repórteres e cinegrafistas cobriram o fato com o maior relevo. Não houve ninguém que deixasse de dar entrevista: mesmo as crianças.

O fiscal do governo apareceu para recolher o pedaço de coisa inédita, mas foi obstado pelo juiz de paz, que declarou aquilo um bem da comunidade. A população rendeu guarda ao objeto, e jurou defender sua posse até o último sopro de vida.

A força policial enviada para manter a ordem aderiu aos moradores, pois seu comandante era filho do lugar. Acorreram turistas, pessoas dormiam na rua por falta de acomodação, surgiram batedores de carteira, que foram castigados, e começou a correr o boato de que aquele corpo metálico tinha propriedades mágicas.

Quem chegava perto dele seria fulminado se fosse mau-caráter; conquistava a eterna juventude, se fosse limpo de coração; e certa ardência que se evolava da superfície convidava ao amor.

Não se desprendeu de satélite, diziam uns; veio diretamente do céu, emanado de uma estrela, alvitravam outros. De qualquer modo, era dádiva especial para o lugarejo, pois ao tombar não ferira ninguém, não partira uma telha, nem se assustaram os animais domésticos com a sua vinda insólita.

Tudo acabou com o misterioso desaparecimento da coisa. Seus guardas foram tomados de letargia, e ao recobrarem a consciência viram-se despojados do grande bem. Mas tinham assimilado esse bem, e passaram a viver de uma alegria inefável, que ninguém poderia roubar-lhes. Eram os privilegiados da Terra.

O TEMPO NA RUA

Fizesse bom ou mau tempo, o mendigo sentava-se às sete da manhã no terceiro degrau da escada da igreja e ali ficava até as doze. Era tão pontual que os transeuntes, querendo saber as horas, não olhavam para o relógio da torre; olhavam para ele. Cada quarto de hora estampava-se em suas mãos, e a cada trinta minutos as rugas de seu rosto indicavam a medida do tempo.

Quando o relógio foi retirado da torre, para conserto, e nunca mais voltou, a presença do mendigo cresceu de importância. Muita gente lhe rogava que estendesse a permanência até findar o dia. Recusou-se a atender, alegando que tinha outras obrigações à tarde, sem esclarecer quais fossem.

No fim de alguns anos, era conhecido como o Tempo, mas a velhice fez com ele o que faz com os relógios. Já não fornecia indicações precisas, e causava grandes perturbações no horário das pessoas.

Tentaram removê-lo dali, e o Tempo não cedeu. A igreja foi demolida para dar espaço à nova rua. O Tempo continuou plantado no centro da pista, das sete às doze, sem que os guardas de trânsito conseguissem afastá-lo com boas ou rudes maneiras. Era evitado pelos motoristas e foi proclamado estátua matinal, atração da cidade.

O TORCEDOR

No jogo de decisão do campeonato, Eváglio torceu pelo Atlético Mineiro, não porque fosse atleticano ou mineiro, mas porque receava o carnaval nas ruas se o Flamengo vencesse. Visitava um amigo em bairro distante, nenhum dos dois tem carro, e ele previa que a volta seria problema.

O Flamengo triunfou, e Eváglio deixou de ser atleticano para detestar todos os clubes de futebol, que perturbam a vida urbana com suas vitórias. Saindo em busca de táxi inexistente, acabou se metendo num ônibus em que não cabia mais ninguém, e havia duas bandeiras rubro-negras para cada passageiro. E não eram bandeiras pequenas nem torcedores exaustos: estes parecia terem guardado a capacidade de grito para depois da vitória.

Eváglio sentiu-se dentro do Maracanã, até mesmo dentro da bola chutada por quarenta e quatro pés. A bola era ele, embora ninguém reparasse naquela esfera humana que ansiava por tornar a ser gente a caminho de casa.

Lembrando-se de que torcera pelo vencido, teve medo, para não dizer terror. Se lessem em seu íntimo o segredo, estava perdido. Mas todos cantavam, sambavam com alegria tão pura que ele próprio começou a sentir um pouco de flamengo dentro de si. Era o canto? Eram braços e pernas falando além da boca? A emanação de entusiasmo o contagiava e transformava. Marcou com a cabeça o acompanhamento da música. Abriu os lábios, simulando cantar. Cantou. Ao dar fé de si, disputava à morena frenética a posse de uma bandeira. Queria enrolar-se no pano para exteriorizar o ser partidário que pulava em suas entranhas. A moça, em vez de ceder o troféu, abraçou-se com Eváglio e beijou-o na boca. Estava batizado, crismado e ungido: uma vez flamengo, sempre flamengo.

O pessoal desceu na Gávea, empurrando Eváglio para descer também e continuar a festa, mas Eváglio mora em Ipanema, e já com o pé no estribo se lembrou. Loucura continuar flamengo a noite inteira à base de chope, caipirinha, batucada e o mais. Segurou firme na porta, gritou: "Eu volto, gente! Vou só trocar de roupa" e, não se sabe como, chegou intacto ao lar, já sem compromisso clubista.

Papai Noel foi contratado para distribuir brinquedos na festa de Natal dos trabalhadores. Ao ver o ministro do Trabalho, expôs--lhe a situação:

— Ministro, nossa profissão ainda não foi regulamentada. Faça alguma coisa por nós.

— Como, se você e seus colegas só trabalham alguns dias por ano?

— Perdão, mas ainda que fosse um dia apenas, é trabalho regular, e em condições desfavoráveis. Ser Papai Noel na Europa é fácil, aqui o senhor não faz ideia. Além disso, passamos o ano inteiro à espera do Natal, com capacidade ociosa.

O ministro prometeu estudar o caso, mas acabou indeferindo a petição, com fundamento em parecer da assessoria, segundo o qual Papai Noel não existe.

O dono da usina, entrevistado, explicou ao repórter que a situação é grave. Há excedente de leite no país, e o consumo não dá para absorver a produção intensiva:

— Uma calamidade. Imagine o senhor que o jornal aqui do município reclama contra a poluição do rio, que está coberto por uma camada alvacenta. Não é nenhum corpo estranho não, é leite. Estão jogando leite no rio porque não têm mais onde jogar. Os bueiros estão entupidos. A população, como o senhor deve saber, é insuficiente para beber toda essa leitalhada ou comê-la em forma de queijo, requeijão, manteiga e coisinhas.

— Insuficiente? Parece que a produção de crianças ainda é maior que a produção de leite.

— Numericamente sim, mas não têm capacidade econômica para beber leite. Têm apenas boca, entende? Então nada feito. Se falta dinheiro aos pais dos garotos para adquirir o produto, ainda bem que se joga o leite fora, em vez de jogar os garotos.

PARABÉNS POR TUDO

Cumprimentava a todos por tudo e mesmo a pretexto de nada. Felicitações, congratulações que não acabavam mais. Chegou a dar parabéns (a parabenizar, como dizia) a alguém porque botava uma carta no correio.

— Que há de mais nisto? Todo mundo bota cartas no correio.

— Mas você botou de modo especial.

— Especial, como?

— Notei em sua fisionomia a confiança plena no processo de comunicação, uma espécie de felicidade.

— Pois olhe: estou enfrentando uma cólica renal.

— Parabéns por enfrentá-la de pé. Qualquer outro estaria internado.

— A carta é de cobrança.

— Então você tem a receber uma bolada. Parabéns.

O outro teve vontade de... Conteve-se.

O felicitador contumaz saiu dando parabéns a todo mundo. Seu fim não foi bom. Telegrafou entusiasticamente ao chefe do governo, felicitando-o por não fazer absolutamente nada de bom nem de mau: o governo ideal. Acharam que era desaforo, e o detiveram, processaram e condenaram a não sei quantos anos de abstenção de cumprimentos.

PODER DA ETIMOLOGIA

Quando o professor Nemésio explicou a Cacilda que o nome dela, segundo Zambaldi, quer dizer "a que combate com lança", a moça ficou triste. É tão doce esse nome (experimentem pronunciá-lo) e tão meiga a sua portadora, que a revelação lhe pareceu a mais injusta possível.

O pior é que os irmãos começaram a brincar com ela de maneira provocadora, dizendo a cada instante: "Cacilda, onde você escondeu sua lança?". Ou: "O amolador de facas está na esquina da rua Júlio de Castilhos. Leve a lança para ele afiar, Cacilda".

De aveludada que era, Cacilda tornou-se suscetível e mesmo agressiva. O namorado rompeu com ela, dizendo que tinha medo de uma lanceira polonesa. E Cacilda quedou, fera e tristinha, em seu quarto onde havia gravuras de guerras napoleônicas.

A família procurou o professor Nemésio que, benevolamente, se dispôs a pacificar a moça: "Minha filha, isso de etimologia é muito discutível, cada uma diz uma coisa, e esse tal de Zambaldi já foi desacreditado por pesquisas recentes. O verdadeiro significado do nome de uma pessoa é o que lhe confere a pessoa que o tem. Você é tão encantadora que seu nome só pode significar você mesma, isto é, encantos mil".

Cacilda acreditou e voltou ao estado gentil, mas sucede que, de vez em quando...

POESIA SEM DEUSES

A máquina de fazer versos foi invenção de um moço do Pará, que levou cinco anos para torná-la perfeita. Os poetas locais e do país protestaram contra a novidade, alegando que a poesia é negócio de deuses, e baixa para cada um em hora imprevisível. Estácio, o inventor, nem ligou. Produzia sonetos, baladas, rondéis, haicais, martelos agalopados, vilancicos, da melhor fatura. Quem desejasse assumir a autoria de um poema encomendava-o a Estácio e, sob sigilo, era atendido. Cobrava caro. Os clientes ganhavam prêmios acadêmicos e distinções várias, justificando a tabela. Em dezembro, os negócios atingiam o ápice. Junho era mês de renovação de estoque, para poetas menores.

Estácio enriqueceu e morreu, deixando aos filhos a máquina maravilhosa. Eles não souberam acioná-la, e daí resulta que a produção corrente de poesia, divulgada no país, não é de qualidade superior.

QUEIJO PARA DOIS

A Situação comia o queijo sozinha, a Oposição tinha fome e também lhe apetecia comer do queijo.

— Negativo — respondeu a Situação. — O queijo não dá para todos. Mesmo que desse, o queijo nunca é para todos.

— Então eu vou aí e tiro o queijo todo para mim — ameaçou a Oposição.

E a Situação continuava comendo queijo, comendo queijo. Até que ele acabou. Vendo que tinha acabado, ela se queixou da Oposição:

— Viu o que você me arrumou? De tanto reclamar uma fatia de queijo, ele foi minguando, minguando, e me deixou com fome. Você botou olho grande. Quando eu arranjar outro queijo, vou comê-lo escondido.

RICK E A GIRAFA

No Jardim Zoológico, neste domingo azul, a girafa olha do alto para as crianças, e parece convidá-las a um passeio no dorso. Há uma escada perto, e se for encostada ao animal, Ricardo (Rick é o seu apelido) poderá chegar até lá. O garoto mede a distância que vai do chão ao lombo, e julga--se em condições de vencê-la. Uma vez lá em cima, cavalgando o pescoço, e segurando-lhe os chifres, pedirá à girafa, depois de umas voltas pelo Jardim, que o leve por aí, percorrendo o mundo. Presa há tanto tempo, a girafa há de estar ansiosa de liberdade. Não será difícil transpor a cerca. Ela espera que Rick lhe proponha a aventura. Ninguém se atreverá a travar-lhe os passos, e Rick vai dirigi-la nos rumos que aprendeu no atlas escolar.

O problema é descer de vez em quando, para Rick alimentar-se de biscoitos, fazer necessidades e dormir. Camarada, a girafa irá se deitando aos poucos, primeiro dobrando devagar as pernas, depois se inclinando lentamente para o lado, e afinal arriando com suavidade a carga infantil.

Mas para subir outra vez, como se arranjaria ele? Escada não haverá. Mesmo deitada, a girafa é difícil de subir. A imaginação não lhe fornece recurso plausível. O sonho frustrou-se. Rick levanta o braço direito e, com a mão espalmada em gesto de adeus à girafa que gentilmente o convidara, esclarece:

— Muito obrigado. Fica para outra ocasião, quando eu crescer.

SABER PERGUNTAR

— Quantas mulheres passaram por sua vida? — perguntou o agente de estatística. — Estamos procedendo a um levantamento nacional sobre a vida amorosa dos brasileiros.

Respondeu:

— Nenhuma. Só me lembro de ter passado pela vida de muitas mulheres. O governo devia ter mais cuidado na formulação de seus questionários. Meu caso não é único. Suspeito mesmo que seja dos mais comuns. Aceita um café? Não tem cicuta. Meu nome é José Passado.

O recenseador confessou que também ele etc....

SALVO SE

Ganhou o apelido de Salvo Se porque, ao ser convidado para qualquer coisa, respondia invariavelmente:

— Topo, salvo se fizer mau tempo.

— A meteorologia anunciou bom tempo, não há perigo.

— Então ótimo, salvo se eu quebrar uma perna.

— Afasta esse azar, não vai quebrar perna nenhuma.

— É o que espero, salvo se houver um buraco no caminho.

E assim por diante. Gostava de abacate, salvo se aparecesse laranja-lima. Viajaria para Maceió, salvo se desistisse à última hora. No fim de certo tempo, já não prometia nem planejava nada. Era tudo salvo se, e o salvo se acabou por impedi-lo de qualquer gesto. Explicava:

— Não posso desistir do salvo se, salvo se deixasse de existir salvo se na vida.

SANTO DE PAU OCO

Não tinha nome, ou se o tivera já se esquecera dele. E ninguém lhe deu outro. Chamavam-no de diversas maneiras: o Santo, o Aluado, o Madeirinha, o Oco-do-Pau. Este último apelido tinha como causa a resposta que ele dava sempre, fosse qual fosse o assunto: "Tudo bem no oco do pau". Porque morava no interior de uma oiticica de raízes enormes e expostas — cavidade tão grande que um homem podia deitar-se lá dentro. Era o que ele fazia, gabando as comodidades: "No oco do pau não chove. É lugar fresco, protegido de ventos, e eu o conservo muito limpinho".

Não dizia muita coisa além disso. Quase não vinha à cidade e alimentava-se da natureza. Começaram a dizer que fazia milagres. Teve que fazê-los, mas isto o aborrecia muito. Não queria a entrada de sua casa de buraco repleta de gente. Nem tudo agora ia bem no oco do pau.

Para defender-se, treinou uma cobra inofensiva e colocou-a na defesa de sua intimidade. Os crentes não se atemorizaram com sua presença, e ela mordia de leve, sem envenenar ninguém. Acabou sendo considerada anjo porteiro do oco do pau.

O Madeirinha mudou-se e ninguém mais o viu.

SINATRA

— Pago vinte mil cruzeiros para não ver nem ouvir Frank Sinatra — disse o homem, tirando da carteira vinte cédulas de *barão*.

— Desculpe, mas nós só vendemos entradas para quem queira ver e ouvir Frank Sinatra. Não podemos aceitar o seu dinheiro.

— Então me diga onde é que eu posso comprar uma não entrada. Estou cheio de Sinatra e, onde quer que eu vá, só ouço falar nele, só vejo o retrato dele, só escuto músicas cantadas por ele.

— O senhor há de convir que um acontecimento artístico desse porte, como a vinda de Frank Sinatra para cantar no Brasil...

— Não convenho. Quero o meu sossego, a independência dos meus ouvidos, e atualmente nesta cidade não há alternativa. Ou Sinatra ou nada. Então, quero vinte mil cruzeiros de nada.

SOLANGE

Solange, a namorada. Todas as moças perdiam para Solange. Nenhuma podia competir com ela em matéria de namoro. Os rapazes da cidade só alimentavam uma aspiração: que Solange olhasse para eles. Desdenhavam todas as outras, ainda que fossem lindas, cheias de graça e boas de namorar. Namorar Solange, merecer o favor de seus olhos: que mais desejar na vida? A nenhum deles Solange namorava. Era uma torre, um silêncio, um abismo, uma nuvem. Sua família inquietava-se com isto e pedia-lhe que pelo amor de Deus escolhesse um rapaz e namorasse. O vigário exortou-a nesse sentido. O prefeito apelou para os seus bons sentimentos. Ninguém mais casava, a legião de tias era assustadora. Temia-se pela ordem social.

O desaparecimento de Solange até hoje não foi explicado, mas dizem que em carta endereçada à família ela declarou que, para ser a namorada em potencial de todos, não podia ser namorada de um só, mesmo que sucessivamente trocasse de namorado. Estava certa de que exercia uma função de sonho, que a todos beneficiava. Mas se não era assim, e ninguém compreendia sua doação ideal a todos os moços, ela decidira sumir para sempre, e adeus.

Adeus? Ignora-se para onde foi Solange, mas aí é que se converteu em mito supremo, e nunca mais ninguém namorou na cidade. As moças envelheceram e morreram, a igreja fechou as portas, o comércio definhou e acabou, as casas tombaram em ruínas, tudo lá ficou uma tapera.

SUBSISTÊNCIA

O rapaz que vivia de dar milho aos pombos, ganhando para isto certa quantia que não dava para viver, rebelou-se e, criando asas e bico, entrou a disputar aos pombos o milho que seu substituto lhes distribuía.

As aves não aprovaram a transformação, pois o moço, convertido numa delas, comia mais do que cinquenta pombos reunidos. Começaram a bicá-lo furiosamente, obrigando-o a fugir. No terreno baldio onde se escondeu, a feia ave desajeitada pensa em partir para outra, e estuda o caderno de profissões legalizadas, a ver se alguma o coloca ao abrigo dos animais e dos homens.

TENTATIVA DE POSSE

Chegou ao palácio e disse que queria tomar posse.

— Posse de quê? — perguntaram-lhe.

— De tudo. De qualquer coisa. Eu quero é tomar posse.

— Todos os cargos estão ocupados. O senhor chegou tarde.

— Atrasei-me por causa da greve dos alfaiates, pois eu não podia tomar posse com uma roupa qualquer. Agora estou convenientemente trajado e venho empossar-me.

— Já lhe dissemos que não há nenhum posto vago. Não só foram todos preenchidos como há uma relação de duzentos e cinquenta mil aspirantes a substituir algum dos titulares que eventualmente se afastar por motivo de reumatismo ou esclerose cerebral.

— Posso inscrever-me como duzentos e cinquenta mil e um aspirante. Talvez sobrevenha um terremoto e eu, se der sorte, passarei ao primeiro lugar e finalmente me darão posse.

— Nunca. Todos os terremotos foram previstos, todas as inundações etc. Escapará muita gente e haverá no máximo vinte substituições em nossos quadros. Portanto, o senhor jamais será aproveitado. Venda o seu terno escuro e passe muito bem.

Voltou para casa e, à falta de outra coisa, tomou posse de si mesmo.

TUDO BEM

O ministro do Otimismo reuniu os repórteres e declarou:

— A situação não é tão grave como vocês estão dizendo. Aliás, a situação não é nada grave. Quem foi que inventou que a situação é grave?

— Ministro, os números...

— Nunca ouvi os números dizerem alguma coisa. Número não fala. Se falasse, reconheceria que tudo está sob controle.

— Perdão, sob controle de quem? — indaga um repórter.

— Quando parece que as coisas estão sem controle, é porque estão sob controle de si mesmas, e esta é uma questão muito delicada. É o controle intestinal, entendem? Se não entenderem, não faz mal.

— O custo de vida...

— O custo de vida é ilusão. Não há custo de vida. O governo sustenta maternidades gratuitas. Ninguém paga para nascer. Além disto, para facilitar ainda mais a vida, cogitamos de estabelecer o imposto de morte. Todos os mortos pagarão este imposto. Assim, ninguém mais vai querer morrer, e está salva a pátria. Eu não disse?

UM CASO DE PAIXÃO

Desde que leu numa revista o nome de Aspásia Papananessiou, poetisa grega exilada durante a ditadura militar do seu país, Evaristo, poeta fluminense, sentiu a flecha da paixão cravar-se-lhe no peito. Rompeu com a noiva e concentrou todo o amor naquela desconhecida.

Livros de Aspásia, Evaristo não tinha nem adiantaria tê-los, por ignorância da língua e por falta de professor de grego em Macaé. Correu às livrarias do Rio, à caça de traduções francesas ou espanholas dos poemas, sem obtê-las. Pensou em recorrer ao consulado da Grécia, mas um amigo o advertiu de que, sendo Aspásia contestadora do regime, aquela não seria a melhor fonte de informações.

— Ao menos um retrato — Evaristo suspirava. — Quero uma foto de Aspásia. Deve ser linda, como lindo é o seu nome, e lindo, sobretudo, o sobrenome.

Passava dias inteiros pronunciando e escandindo essas palavras mágicas para ele. E por se tornar esquivo ao trabalho, perdeu o emprego na secretaria da prefeitura de Macaé.

Já agora vagabundo, soltou-se e viajou como clandestino em navios pelos sete mares da Terra. Um dia (tinha certeza) encontraria Aspásia e a ela se dedicaria à maneira dos cães fidelíssimos. Foi preso, expulso de vários países, comeu a pera da angústia, que nem era pera, mas antes pedra, e nunca ninguém lhe disse que conhecia Aspásia Papananessiou ou lera um de seus versos.

Não há mais notícias de Evaristo, e seus amigos de Macaé, também poetas, admitem que:

a) Evaristo perseguirá até a morte o mito criado por ele, pois Aspásia não existe;

b) encontrará Aspásia num subúrbio de Atenas, e verá que ela não é o ser maravilhoso que ele imaginara;

c) Aspásia e Evaristo, junto a uma doca do Pireu, não se

entendendo por causa da diferença de idiomas, entram em conflito, e ela o mata com um punhal;

d) Evaristo encarna-se no mito por ele gerado e passa a usar travesti;

e) Evaristo se desilude, volta para Macaé e pede reintegração no cargo municipal.

UM LIVRO E SUA LIÇÃO

Poucos livros são como este livro. Aparentemente, igual a muitos. Mas se o abrires em qualquer página, encontrarás de cada vez um texto diferente.

Ouvi que na Ásia há um livro com a mesma propriedade, e que nos Estados Unidos existiu outro, comprado a um dervixe, mas que, pelo manuseio constante, não apresenta a singularidade: ficou um livro como os demais, unívoco.

O exemplar que possuo, não deixo que ninguém o consulte. Zelo por sua integridade, e só de longe em longe me animo a folheá-lo. E é sempre um assombro.

Não o comprei. Achei-o no porão de uma casa onde só havia trastes abandonados e teias de aranha. Ao descobrir sua inacreditável raridade, fiquei trêmulo e guardei o segredo até dos mais íntimos.

Este livro extraordinário me explicou o sentido do mundo, que varia sempre e não se subordina a qualquer filosofia. Explicação que não explica, pois sendo infinitas as variações, qualquer delas só dura o tempo de leitura de uma página, ou meia.

Não posso continuar guardando o volume, e não sei o que fazer dele. Tenho medo de abri-lo; medo de rasgá-lo; medo de que o furtem; medo de ler nele uma sentença aniquiladora, a última sentença, depois da qual o mundo deixaria de ser vário e, portanto, de existir.

UNIDADE PARTIDÁRIA

— Sr. presidente, eu acho... — começou o orador, logo aparteado pelo líder:

— Perdão, vossa excelência não acha nada. É claro que o nobre deputado está de acordo com o pensamento do nosso partido.

— O nosso partido — tentou dizer o orador, e não prosseguiu, pois o líder e o primeiro vice-líder acudiram uníssonos:

— O nosso partido não está em discussão, aliás nunca pode estar em discussão. E vossa excelência sabe disso.

— Muito bem — confirmou o segundo vice-líder. — Não pronunciemos em vão o seu santo nome.

— É o que sempre digo aos nossos correligionários — interveio o terceiro vice-líder, chegando afobado ao recinto.

— Mas — tentou prosseguir o orador, que só tinha direito a este nome porque se inscrevera para falar, embora ainda não fizesse jus a ele.

— Não há mas nem porém nem todavia nem contudo no vocabulário de nossa pujante agremiação — sentenciou o líder.

— O ilustre parlamentar que enobrece as nossas fileiras certamente não vai erigir o mas em bandeira partidária. Vai, pelo contrário, condenar esta anomalia, incompatível com a filosofia construtiva, otimista e desenvolvimentista do nosso valoroso partido, que apoia incondicionalmente a belíssima orientação do excelentíssimo doutor atual presidente da República.

O orador em perspectiva acenou com a cabeça que sim e sentou-se. Aprendera que toda palavra é escândalo, e que para evitá-lo todas as palavras são oportunas.

VERÃO EXCESSIVO

"Eu sei que uma andorinha não faz verão", filosofou a andorinha-de-barriga-branca. "Está certo, mas agora nós somos tantas, tantas, no beiral, que faz um calor terrível, e eu não aguento mais!"

VOLTA À CASA PATERNA

Voltar à casa paterna depois de vinte anos de ausência é coisa comovedora, e Fábio tinha vontade de experimentar esta sensação. Infelizmente não chegaria a senti-la, pois seu destino era voltar à casa da família todos os dias, após o trabalho, e já tinha horror a essa obrigação.

Tirar férias de trinta dias para esquecer um pouco o ambiente doméstico e redescobri-lo como novidade não adiantava. Fábio encontrava de volta as mesmas paredes, o mesmo bule, o mesmo periquito. E não notava a sutil, incessante mudança das coisas, que se opera em todo organismo ou habitação.

Nesta rotina decorreram os vinte anos que ele imaginava serem o prazo ideal para a perfeita volta à casa paterna. Tudo continuava aparentemente na mesma, a seus olhos que não sabiam ver o invisível, pois tudo era profundamente dessemelhante do que fora, só que Fábio não reparava. O próprio periquito morrera, estava embalsamado. Mudara o papel de parede, a louça fora substituída, o pai de Fábio também morrera, e a viúva casara outra vez. Voltando todos os dias à casa, ele não sentira a transformação. Foi preciso que o padrasto o convidasse a mudar de domicílio, para ele experimentar uma sensação profunda. A sensação de não voltar à casa paterna.

VOTAÇÃO INCONCLUSA

— O azul — disse o cosmonauta.

— Não. O vermelho — objetou o major.

— Antes o amarelo — interveio a modista.

— Voto no verde — declarou o deputado.

— Mas o cor-de-rosa... — insinuou o bailarino.

— Nada igual ao branco — sentenciou o telegrafista.

Houve quem propusesse o arco-íris. A Conferência Internacional para Escolha da Cor Única terminou sem chegar a decisão. Convocou-se outra conferência do mesmo nível para decidir sobre a conveniência de se oficializar a Cor Múltipla. O pintor Israel Pedrosa, revelador da Cor Inexistente, promete não comparecer.

Nota da edição

A primeira edição de *Contos plausíveis*, de 1981, foi lançada pela José Olympio Editora e pela Editora JB. A segunda, de 1985, conta apenas com a chancela da José Olympio. Trata-se da última publicação desse livro acompanhada pelo autor, o que justifica a sua adoção como texto-base.

Nas duas primeiras edições, Carlos Drummond de Andrade escreveu, na nota inicial, sobre as ilustrações de Irene Peixoto e Márcia Cabral, que não foram reproduzidas aqui. Logo, o referido trecho da nota também foi excluído na presente edição.

EDUARDO COELHO

AGRADECIMENTOS Alberto Pucheu, Eduardo Jardim, João Camillo Penna e Pedro Augusto Graña Drummond.

Posfácio

PROSA DE BRINQUEDO
Noemi Jaffe

Poucas combinações soam mais destoantes para a imaginação literária do que inocência e ironia. Mas, por esse estranho caminho, talvez seja possível se aproximar do que são estes *Contos plausíveis*, de Carlos Drummond de Andrade, escritos em sua coluna de terças, quintas e sábados no *Jornal do Brasil*, entre os anos de 1969 e 1984, e publicados pela primeira vez sob forma de livro em 1981 (edição não comercial).

Para começar, antes de tentar entender o termo que mais se destaca no título — "plausíveis" —, é preciso questionar aqui o próprio termo "conto", que deve ser entendido com certa reserva. A palavra *plausíveis*, na verdade, pode se aplicar à própria forma narrativa que está sendo adjetivada: trata-se de um título também metalinguístico. São, plausivelmente, contos.

Por que estas pequenas fábulas, anedotas, crônicas poéticas — é difícil denominá-las — são chamadas de "contos"? A resposta está na medida do desejo do autor, já que é ele que determina, aqui, a plausibilidade de tudo. Radicalizando ainda mais o proposto por Mário de Andrade, que dizia ser conto tudo aquilo que o autor chama de conto, Drummond chama também de plausível tudo aquilo que quer — inclusive suas histórias.

Quanto ao termo "plausíveis", o dicionário fornece duas acepções: aquilo que se pode aplaudir, aprovar, e aquilo que se pode admitir e aceitar; aquilo que é razoável. Como a segunda acepção é muito mais frequente do que a primeira, o leitor vai constantemente se surpreender. Pois como podem ser aceitáveis ou admissíveis uma cidade onde não existe o tempo, um homem que fala a língua das plantas, outro que perambula em busca de sua alma ou uma mulher que a cada dia veste uma nova cabeça? Se plausível fosse compreendido como "verossímil", termo mais usual na crítica literária e razoavelmente equivalente, haveria então ou um equívoco ou uma forte visão derrisória. Mas não se trata nem de uma coisa nem de outra. Muitas vezes estes contos são plausíveis porque fazem parte de uma utopia plausível para o universo poético drummondiano ou porque, em função de alguma ironia, mostram que o absurdo é bem mais plausível do que parece. Ou então simplesmente porque, segundo a primeira acepção do dicionário, merecem aplausos.

É também na interpretação da noção do que é "plausível" que os contos se identificam ora com a linguagem irônica, lembrando muito Machado de Assis, ora com uma perspectiva inocente e crédula, e muitas vezes com ambas simultaneamente. Vários contos apresentam, como dito, um mundo utopicamente poético em que o plausível aparece como um tempo e um lugar em que finalmente haverá mais liberdade e alegria, numa linguagem e temática que chegam a lembrar os cronópios, das *Histórias de cronópios e famas*, de Julio Cortázar, com suas narrativas também breves, aforísticas e, de certa forma, morais, pois acabam por estabelecer um juízo de valor negativo sobre o mundo real. É o caso, por exemplo, de "A escola perfeita", "A cor falante" ou "A incapacidade de ser verdadeiro", entre tantos outros.

Por outro lado, em contos como "A cor de cada um", com seu "presidente do Partido de Qualquer Cor", ou "A melhor opção", em que um sujeito, "não tendo recursos bastantes para investir na Bolsa de Zurique, mandou fazer uma dentadura de ouro maciço", ou ainda "A volta das cabeças", que em muito remete ao clássico machadiano "Teoria do medalhão", o leitor encontra a mesma visão ácida e desencanto para com a política e as relações sociais burguesas e urbanas, e os mesmos jogos linguísticos precisos, característicos do Bruxo do Cosme Velho. Mas nesse caso, por oposição ao plausível utópico, a plausibilidade está diretamente ligada ao cotidiano em que estamos imersos. O que soa como irreal não poderia ser mais plausível, diante do absurdo que testemunhamos todos os dias.

Se pensarmos um pouco melhor, não é impossível identificar — numa dicção que só Drummond seria capaz de sintetizar — alguns traços surpreendentemente comuns entre a inocência e a ironia. Por vias praticamente opostas, as duas acabam mirando um lugar equivalente: a utopia lúdica e a ironia fina podem se encontrar no ponto em que ambas recusam uma ordem vigente dominada pelas aparências, hipocrisia, jogos de poder e infinitas mediações que impedem os indivíduos de praticarem — e mesmo de conhecerem — seus desejos e valores. Ambas partem de um ponto de vista enviesado, numa linguagem oblíqua, cuja inadequação pode variar na motivação e em seus percursos e percalços, mas que fundamentalmente atua numa ordem paralela e fora de lugar.

Em 1969, quando começou a escrever sua coluna no *Jornal do Brasil*, Drummond já era considerado "o" poeta brasileiro, tendo sido protagonista de todas as fases do modernismo nacional, sem, entretanto, engajar-se completamente em nenhuma delas, mas mantendo um equilíbrio único entre aproximação e autonomia estética e ideológica. Sua produção em prosa, embora menos reconhecida, também já era considerável, com livros como *Confissões de Minas* (1944), *Contos de aprendiz* (1951), *Passeios na ilha* (1952) e *Fala, amendoeira* (1957), entre outros. A respeito de sua prosa, o próprio autor explica, na nota introdutória ao livro *Confissões de Minas*: "Não há muitos prosadores, entre nós, que tenham consciência do tempo, e saibam transformá-lo em matéria literária". Quando fala em "tempo", aqui, Drummond se refere à circunstância histórica e objetiva, da qual a poesia está razoavelmente liberta. É seu etos político que o faz escrever em prosa aquilo que a linguagem, em princípio, o desobriga de fazer, ainda que este mesmo compromisso seja reconhecível em muitos de seus poemas. É assim que o vemos em sua prosa, diferentemente da poesia, em que qualquer traço confessional está abolido ("As afinidades, os aniversários, os incidentes pessoais não contam"), permitindo a coincidência entre a primeira pessoa do autor e do narrador, falando, assim, abertamente de fatos de sua vida, emitindo opiniões críticas sobre acontecimentos da vida real ("Não faças versos sobre acontecimentos") e, principalmente, posicionando-se eticamente de forma a rejeitar dogmas, obscurantismos e projetar ligeiras utopias.

Drummond é, antes, depois e sobretudo, poeta. Entre outros motivos, talvez seja esse o mais determinante para que também sua prosa seja tão marcadamente singular: é uma prosa infiltrada de poesia. Quando passou a colaborar com o *Jornal do Brasil*, já tinha escrito a parte mais importante de sua obra poética: *Alguma poesia* (1930), *Brejo das almas* (1934), *Sentimento do mundo* (1940), *A rosa do povo* (1945), *Claro enigma* (1951) e *Fazendeiro do ar* (1954). Ao longo de quatro décadas, havia criado uma poesia sobre a qual cabe, aqui, destacar quatro aspectos: uma lírica politizada, mas sem qualquer traço de militância cega; uma poesia nostálgica, mas sem transbordamento algum; uma obra racional, mas sem dificuldades construtivas — sintáticas, semânticas ou estruturais; e, finalmente, uma poesia que é também filosófica, mas sem complicados jogos de pensamento.

Uma poesia, portanto, que sempre se caracteriza pela contenção, pela simplicidade e, principalmente, no caso que nos interessa, por um sentimento de inadequação, ou de "não estar de todo", segundo a expressão de Julio Cortázar. Seja com uma flor que nasce no asfalto e que torna possível, quando só se prepara a náusea, uma irrupção absurda de vida, como em "A flor e a náusea", com o impossível personagem de "O elefante", com o itabirano que acha a vida toda besta, com o sujeito que nega a oferta irresistível da máquina do mundo, com a pedra no meio do caminho ou com José, sua percepção poética é invariavelmente aquela de negação e mesmo de quase total desencanto com o estabelecido. Numa comparação mais que ligeira com Manuel Bandeira e João Cabral de Melo Neto, dois dos outros grandes nomes da poesia brasileira, a poesia de Drummond não chega jamais a encontrar "a casa limpa, a mesa posta", tampouco os galos que, juntos, conseguem tecer uma manhã.

Com sua prosa que, pelos efeitos mistos de contenção e liberdade, lembra muito a linguagem poética, estes *Contos plausíveis* ao mesmo tempo consolidam o rigor e o desencanto do poeta consagrado, mas, pelo formato, pelo veículo e por não serem efetivamente poesia, podem decolar para um novo tipo de entusiasmo onírico, de que sua poesia raramente pode desfrutar.

Um "eu" discreto, quase oculto, aparece de forma oscilante nestes contos, indicando que, em meio aos absurdos, ao humor, à ironia e ao sonho, espia um sujeito alerta, uma espécie de fiel de uma balança meio desorientada. No conto "A noite", por exemplo, a penúltima frase confessa: "É o único morto, conscientemente morto, de que já ouvi falar nesta vida". Em "Furto de flor", lemos: "Furtei uma flor daquele jardim". Em "Histórias para o rei", "[...] fui nomeado por decreto do rei". Trata-se de uma mistura de personagem e narrador, criatura e criador, o que confere ao autor a possibilidade de arbitrar delicadamente sobre esse mundo tão assombroso, mas rigorosamente plausível.

Em tom quase sempre fabular, lembrando a linguagem dos contos maravilhosos, com reis, rainhas, tempos imemoriais, milagres, ninfas e espelhos mágicos, vai sendo criada uma ordem que simultaneamente atravessa a realidade e corre paralela a ela, sem nunca deixar de criticá-la ou de querer transformá-la.

Remetendo à atmosfera de credulidade, um conto como "A escola perfeita" fala de uma "escola festiva" "em que os macacos, as borboletas, os seixos da estrada não só faziam parte do material escolar como davam palpites sobre a matéria", e onde o estabelecimento é transformado numa "escola natural de coisas". Já em "A lanterninha", o "eu" reaparece entronizando uma lanterninha num nicho da estante, depois de descobrir que "a luz é Deus". E em "A mulher variável", uma dona Ormélia — e os nomes dos personagens mereceriam um estudo à parte — ostenta a cada manhã um rosto diverso e, com isso, consegue conciliar, diante de um marido perplexo que a cada dia troca de mulher, "os prazeres da variedade" com a fidelidade (quase uma definição do que são os próprios contos). Há ainda o conto "Gêmeos", no qual o personagem Paulo "nasceu gêmeo, embora sua mãe só houvesse dado à luz um filho". É nessa vertente da brincadeira ligeira, mas que encerra uma topologia ideal e profunda — só plausível pela linguagem poética —, que estes contos exploram a ideia de um lugar/não lugar só acessível pelo sonho e pela delicadeza.

No que diz respeito àquela afinidade com Machado de Assis, as semelhanças são tantas que muitas vezes o leitor tem, à primeira vista, a sensação de estar diante de um conto do autor de *Dom Casmurro*. Com frequência, encontra-se um fraseado tipicamente machadiano, cuja ironia, entretanto, rapidamente é temperada por uma infiltração de fantasia e de absurdo que só Drummond seria capaz de realizar. É o caso, por exemplo, do conto "A volta das cabeças". O texto começa com a expressão "Naquele país", ambientação característica da forma da parábola e da alegoria de que Machado também tantas vezes se serviu. O narrador então apresenta ao leitor um fenômeno estranho: "os parlamentares funcionavam sem cabeça, e nem se davam conta disso". Certo deputado, ao perceber a ausência de crânio, convoca os colegas para alertá-los e tomar providências. Após os deputados cogitarem acoplar cabeças de papelão, mais leves, e de saírem sem sucesso atrás de suas próprias cabeças, o governo decide finalmente que a recolocação será feita aos poucos e que, eventualmente, os nobres colegas, quem sabe, acabarão até por nutrir ideias próprias. Como não se lembrar, aqui, pela temática e pela construção narrativa, dos "contos teóricos" de Machado de Assis, principalmente "Teoria do medalhão", mas também "A igreja do Diabo" e "O espelho"? O efeito alegórico e a sátira política e moralizante que remetem à filosofia pessimista do século xviii são os mesmos que Machado utilizava. E assim também no conto "A Opinião em palácio", em que "A Opinião Pública" recolhe-se ao "Beco sem Saída", sendo enfim encaminhada a um "Curso Intensivo de Conceitos Oficiais"; em "A solução", no qual a explicação para a inflação é tautologicamente feita por "um explicador" profissional; ou em "Conversa de correligionários", um dos contos mais cômicos do livro, em que um deputado faz a distinção absurda entre "ser a favor" e "votar a favor", dizendo que sente "uma tal felicidade sendo a favor da eleição direta" que não quer "comprometer esse estado de espírito radiante com uma providência de ordem convencional, ato vulgar e contingente" como votar a favor, o que acaba por justificar sua posição "em cima do muro".

Com uma liberdade semântica e temática incomum em sua poesia, mas sem nunca perder sua conhecida contenção (que é inclusive favorecida pelo formato fabular), estes *Contos plausíveis* possibilitam ao leitor o sonho, que qualquer admirador de sua poesia certamente alimenta, de um Drummond mais otimista. Por oposição ao que diz o poema "Os ombros suportam o mundo", em que, numa condenação à vigília permanente, ficamos sozinhos ("[...] a luz apagou-se,/ mas na sombra teus olhos resplandecem enormes"), sendo forçados a manter a consciência insuportavelmente alerta, aqui, nesse mundo plausível, ainda nos é dada a licença para adormecer.

Leituras recomendadas

ACHCAR, Francisco.
A rosa do povo & Claro enigma:
roteiro de leitura.
São Paulo: Ática, 1993.

ARRIGUCCI JR., Davi.
Coração partido: uma análise
da poesia reflexiva de Drummond.
São Paulo: Cosac Naify, 2002.

CAMPOS, Haroldo de.
"Drummond, mestre de coisas".
Seleção de textos de Sônia Brayner.
Rio de Janeiro: Civilização Brasileira, 1978
(Coleção Fortuna Crítica).

CANDIDO, Antonio.
"Inquietudes na poesia de Drummond".
In: *Vários escritos.*
São Paulo: Duas Cidades, 1970.

FROTA, Lélia Coelho (org.).
Carlos & Mário: correspondência
de Carlos Drummond de Andrade
e Mário de Andrade.
Prefácio e notas de Silviano Santiago.
Rio de Janeiro: Bem-Te-Vi, 2002.

VILLAÇA, Alcides.
Passos de Drummond.
São Paulo: Cosac Naify, 2006.

Cronologia

1902   Nasce Carlos Drummond de Andrade, em 31 de outubro, na cidade de Itabira do Mato Dentro (MG), nono filho de Carlos de Paula Andrade, fazendeiro, e Julieta Augusta Drummond de Andrade.

1910   Inicia o curso primário no Grupo Escolar Dr. Carvalho Brito.

1916   É matriculado como aluno interno no Colégio Arnaldo, em Belo Horizonte. Conhece Gustavo Capanema e Afonso Arinos de Melo Franco. Interrompe os estudos por motivo de saúde.

1917   De volta a Itabira, toma aulas particulares com o professor Emílio Magalhães.

1918   Aluno interno do Colégio Anchieta da Companhia de Jesus, em Nova Friburgo, colabora na *Aurora Colegial*. No único exemplar do jornalzinho *Maio...*, de Itabira, o irmão Altivo publica o seu poema em prosa "Onda".

1919   É expulso do colégio em consequência de incidente com o professor de português. Motivo: "insubordinação mental".

1920   Acompanha sua família em mudança para Belo Horizonte.

1921   Publica seus primeiros trabalhos no *Diário de Minas*. Frequenta a vida literária de Belo Horizonte. Amizade com Milton Campos, Abgar Renault, Emílio Moura, Alberto Campos, Mário Casassanta, João Alphonsus, Batista Santiago, Aníbal Machado, Pedro Nava, Gabriel Passos, Heitor de Sousa e João Pinheiro Filho, *habitués* da Livraria Alves e do Café Estrela.

1922   Seu conto "Joaquim do Telhado" vence o concurso da *Novela Mineira*. Trava contato com Álvaro Moreyra, diretor de *Para Todos...* e *Ilustração Brasileira*, no Rio de Janeiro, que publica seus trabalhos.

1923   Ingressa na Escola de Odontologia e Farmácia de Belo Horizonte.

1924   Conhece, no Grande Hotel de Belo Horizonte, Blaise Cendrars, Mário de Andrade, Oswald de Andrade e Tarsila do Amaral, que regressam de excursão às cidades históricas de Minas Gerais.

1925   Casa-se com Dolores Dutra de Morais. Participa — juntamente com Martins de Almeida, Emílio Moura e Gregoriano Canedo — do lançamento de *A Revista*.

1926   Sem interesse pela profissão de farmacêutico, cujo curso concluíra no ano anterior, e não se adaptando à vida rural, passa a lecionar geografia e português em Itabira. Volta a Belo Horizonte e, por iniciativa de Alberto Campos, ocupa o posto de redator e depois redator-chefe do *Diário de Minas*. Villa-Lobos compõe uma seresta sobre o poema "Cantiga de viúvo" (que iria integrar *Alguma poesia*, seu livro de estreia).

1927   Nasce em 22 de março seu filho, Carlos Flávio, que morre meia hora depois de vir ao mundo.

1928   Nascimento de sua filha, Maria Julieta. Publica "No meio do caminho" na *Revista de Antropofagia*, de São Paulo, dando início à carreira escandalosa do poema. Torna-se auxiliar na redação da *Revista do Ensino*, da Secretaria de Educação.

1929   Deixa o *Diário de Minas* e passa a trabalhar no *Minas Gerais*, órgão oficial do estado, como auxiliar de redação e, pouco depois, redator.

1930   *Alguma poesia*, seu livro de estreia, sai com quinhentos exemplares sob o selo imaginário de Edições Pindorama, de Eduardo Frieiro. Assume o cargo de auxiliar de gabinete de Cristiano Machado, secretário do Interior. Passa a oficial de gabinete quando seu amigo Gustavo Capanema assume o cargo.

1931   Morre seu pai.

1933   Redator de *A Tribuna*. Acompanha Gustavo Capanema durante os três meses em que este foi interventor federal em Minas.

1934   Volta às redações: *Minas Gerais, Estado de Minas, Diário da Tarde*, simultaneamente. Publica *Brejo das almas* (duzentos exemplares) pela cooperativa Os Amigos do Livro. Transfere-se para o Rio de Janeiro como chefe de gabinete de Gustavo Capanema, novo ministro da Educação e Saúde Pública.

1935   Responde pelo expediente da Diretoria-Geral de Educação
e é membro da Comissão de Eficiência do Ministério da Educação.

1937   Colabora na *Revista Acadêmica*, de Murilo Miranda.

1940   Publica *Sentimento do mundo*, distribuindo entre amigos
e escritores os 150 exemplares da tiragem.

1941   Mantém na revista *Euclides*, de Simões dos Reis, a seção
"Conversa de Livraria", assinada por "O Observador Literário".
Colabora no suplemento literário de *A Manhã*.

1942   Publica *Poesias*, na prestigiosa Editora José Olympio.

1943   Sua tradução de *Thérèse Desqueyroux*, de François Mauriac,
vem a lume sob o título *Uma gota de veneno*.

1944   Publica *Confissões de Minas*.

1945   Publica *A rosa do povo* e *O gerente*. Colabora no suplemento
literário do *Correio da Manhã* e na *Folha Carioca*. Deixa a chefia
do gabinete de Capanema e, a convite de Luís Carlos Prestes,
figura como codiretor do diário comunista *Tribuna Popular*.
Afasta-se meses depois por discordar da orientação do jornal.
Trabalha na Diretoria do Patrimônio Histórico e Artístico
Nacional (DPHAN), onde mais tarde se tornará chefe da Seção
de História, na Divisão de Estudos e Tombamento.

1946   Recebe o Prêmio de Conjunto de Obra, da Sociedade
Felipe d'Oliveira.

1947   É publicada a sua tradução de *Les liaisons dangereuses*, de Laclos.

1948   Publica *Poesia até agora*. Colabora em *Política e Letras*.
Acompanha o enterro de sua mãe, em Itabira. Na mesma hora,
no Teatro Municipal do Rio de Janeiro, é executado
o "Poema de Itabira", de Villa-Lobos, a partir do seu poema
"Viagem na família".

1949   Volta a escrever no *Minas Gerais*. Sua filha, Maria Julieta,
casa-se com o escritor e advogado argentino Manuel Graña
Etcheverry e vai morar em Buenos Aires. Participa
do movimento pela escolha de uma diretoria apolítica
na Associação Brasileira de Escritores. Contudo, juntamente
com outros companheiros, desliga-se da sociedade por causa
de atritos com o grupo esquerdista.

1950 Viaja a Buenos Aires para acompanhar o nascimento
do primeiro neto, Carlos Manuel.

1951 Publica *Claro enigma, Contos de aprendiz* e *A mesa*. O volume
Poemas é publicado em Madri.

1952 Publica *Passeios na ilha* e *Viola de bolso*.

1953 Exonera-se do cargo de redator do *Minas Gerais* ao ser estabilizada
sua situação de funcionário da DPHAN. Vai a Buenos Aires
para o nascimento do seu neto Luis Mauricio. Na capital argentina
aparece o volume *Dos poemas*.

1954 Publica *Fazendeiro do ar & Poesia até agora*. É publicada sua
tradução de *Les paysans*, de Balzac. A série de palestras
"Quase memórias", em diálogo com Lia Cavalcanti, é veiculada
pela Rádio Ministério da Educação. Dá início à série de crônicas
"Imagens", no *Correio da Manhã*, mantida até 1969.

1955 Publica *Viola de bolso novamente encordoada*. O livreiro
Carlos Ribeiro publica edição fora de comércio do *Soneto
da buquinagem*.

1956 Publica *Cinquenta poemas escolhidos pelo autor*. Sai sua tradução
de *Albertine disparue*, ou *La fugitive*, de Marcel Proust.

1957 Publica *Fala, amendoeira* e *Ciclo*.

1958 Uma pequena seleção de seus poemas é publicada na Argentina.

1959 Publica *Poemas*. Ganha os palcos a sua tradução
de *Doña Rosita la Soltera*, de García Lorca, pela qual recebe
o Prêmio Padre Ventura.

1960 É publicada a sua tradução de *Oiseaux-Mouches Ornithorynques
du Brésil*, de Descourtilz. Colabora em *Mundo Ilustrado*. Nasce
em Buenos Aires seu neto Pedro Augusto.

1961 Colabora no programa *Quadrante*, da Rádio Ministério
da Educação. Morre seu irmão Altivo.

1962 Publica *Lição de coisas, Antologia poética* e *A bolsa & a vida*.
Aparecem as traduções de *L'oiseau bleu*, de Maeterlinck,
e *Les fourberies de Scapin*, de Molière, recebendo por esta
novamente o Prêmio Padre Ventura. Aposenta-se como chefe
de seção da DPHAN, após 35 anos de serviço público.

1963   Aparece a sua tradução de *Sult (Fome)*, de Knut Hamsun.
        Recebe, pelo livro *Lição de coisas*, os prêmios Fernando Chinaglia,
        da União Brasileira de Escritores, e Luísa Cláudio de Sousa,
        do PEN Clube do Brasil. Inicia o programa *Cadeira de Balanço*,
        na Rádio Ministério da Educação.

1964   Publicação da *Obra completa*, pela Aguilar. Início das visitas,
        aos sábados, à biblioteca de Plínio Doyle, evento mais tarde
        batizado de "Sabadoyle".

1965   Publicação de *Antologia poética* (Portugal); *In the middle of the
        road* (Estados Unidos); *Poesie* (Alemanha). Com Manuel Bandeira,
        edita *Rio de Janeiro em prosa & verso*. Colabora em *Pulso*.

1966   Publicação de *Cadeira de balanço* e de *Natten och Rosen* (Suécia).

1967   Publica *Versiprosa, José & outros, Uma pedra no meio do caminho:
        biografia de um poema, Minas Gerais (Brasil, terra e alma),
        Mundo, vasto mundo* (Buenos Aires) e *Fyzika Strachu* (Praga).

1968   Publica *Boitempo & A falta que ama.*

1969   Passa a colaborar no *Jornal do Brasil*. Publica *Reunião*
        (dez livros de poesia).

1970   Publica *Caminhos de João Brandão.*

1971   Publica *Seleta em prosa e verso*. Sai em Cuba a edição
        de *Poemas.*

1972   Publica *O poder ultrajovem*. Suas sete décadas de vida são
        celebradas em suplementos pelos maiores jornais brasileiros.

1973   Publica *As impurezas do branco, Menino antigo, La bolsa
        y la vida* (Buenos Aires) e *Réunion* (Paris).

1974   Recebe o Prêmio de Poesia da Associação Paulista de Críticos
        Literários.

1975   Publica *Amor, amores*. Recebe o Prêmio Nacional Walmap de
        Literatura. Recusa por motivo de consciência o Prêmio Brasília
        de Literatura, da Fundação Cultural do Distrito Federal.

1977   Publica *A visita, Discurso de primavera* e *Os dias lindos*.
        É publicada na Bulgária uma antologia intitulada *Sentimento
        do mundo*.

1978 A Editora José Olympio publica a segunda edição (corrigida e aumentada) de *Discurso de primavera e algumas sombras*. Publica *O marginal Clorindo Gato* e *70 historinhas*, reunião de pequenas histórias selecionadas em seus livros de crônicas. *Amar-Amargo* e *El poder ultrajoven* saem na Argentina. A PolyGram lança dois LPs com 38 poemas lidos pelo autor.

1979 Publica *Poesia e prosa*, revista e atualizada, pela Editora Nova Aguilar. Sai também seu livro *Esquecer para lembrar*.

1980 Recebe os prêmios Estácio de Sá, de jornalismo, e Morgado Mateus (Portugal), de poesia. Publicação de *A paixão medida*, *En Rost at Folket* (Suécia), *The minus sign* (Estados Unidos), *Poemas* (Holanda) e *Fleur, téléphone et jeune fille*... (França).

1981 Publica, em edição fora de comércio, *Contos plausíveis*. Com Ziraldo, lança *O pipoqueiro da esquina*. Sai a edição inglesa de *The minus sign*.

1982 Aniversário de oitenta anos. A Biblioteca Nacional e a Casa de Rui Barbosa promovem exposições comemorativas. Recebe o título de doutor *honoris causa* pela Universidade Federal do Rio Grande do Norte. Publica *A lição do amigo*. Sai no México a edição de *Poemas*.

1983 Declina do Troféu Juca Pato. Publica *Nova reunião* e o infantil *O elefante*.

1984 Publica *Boca de luar* e *Corpo*. Encerra sua carreira de cronista regular após 64 anos dedicados ao jornalismo.

1985 Publica *Amar se aprende amando*, *O observador no escritório*, *História de dois amores* (infantil) e *Amor, sinal estranho* (edição de arte). Lançamento comercial de *Contos plausíveis*. Publicação de *Fran Oxen Tid* (Suécia).

1986 Publica *Tempo, vida, poesia*. Sofrendo de insuficiência cardíaca, passa catorze dias hospitalizado. Edição inglesa de *Travelling in the family*.

1987 É homenageado com o samba-enredo "O reino das palavras", pela Estação Primeira de Mangueira, que se sagra campeã do Carnaval. No dia 5 de agosto morre sua filha, Maria Julieta, vítima de câncer. Muito abalado, morre em 17 de agosto.

Créditos das imagens

Todos os esforços foram feitos para determinar a origem das imagens deste livro. Nem sempre foi possível. Teremos prazer em creditar as fontes, caso se manifestem.

Retrato de Carlos Drummond de Andrade.
DR/ Luiz Augusto B. de Britto e Silva.

1.
Acervo Lygia Fagundes Telles/ Instituto Moreira Salles.

2.
Acervo Fundação Casa de Rui Barbosa/ Arquivo Museu de Literatura Brasileira. Fundo Carlos Drummond de Andrade. Reprodução de Ailton Alexandre da Silva.

3.
Jornal do Brasil, 02/10/1969/ CPDOC JB.

4.
Antônio Nery/ Agência O Globo.

5.
© Courtesy Everett Collection/ Everett/ Latinstock.

6.
DR/ Família de Guimarães Rosa.

7.
DR/ Família de Lúcio Cardoso.

8.
DR/ Chico Nelson/ Abril Imagens.

Esta obra foi composta em Scala
por warrakloureiro/Alice Viggiani
e impressa em ofsete pela
Geográfica sobre papel Pólen Soft
da Suzano Papel e Celulose
para a Editora Schwarcz em
setembro de 2012

FSC
www.fsc.org
MISTO
Papel produzido
a partir de
fontes responsáveis
FSC® C019498

A marca FSC® é a garantia de que a madeira utilizada na fabricação
do papel deste livro provém de florestas que foram gerenciadas de
maneira ambientalmente correta, socialmente justa e economica-
mente viável, além de outras fontes de origem controlada.